D1066753

CHACAL, MON FRÈRE

DE LA MÊME AUTEURE

Œuvres – Jeunesse

Un tintamarre dans ma tête (roman), Montréal, Chenelière/McGraw-Hill, 2003.

Le vœu en vaut-il la chandelle? (roman), Montréal, Chenelière/McGraw-Hill, 2003.

La Chandeleur de Robert (album, illustrations de Denise Bourgeois), Montréal, Chenelière/McGraw-Hill, 2002.

Élise à Louisbourg (album, illustrations de Suzanne Dionne-Coster), Montréal, Chenelière/McGraw-Hill, 2002.

Romans

Je regardais Rebecca, Moncton, Éditions d'Acadie, 1999.

L'antichambre, Moncton, Éditions d'Acadie, 1997.

Théâtre

Enfantômes suroulettes (jeunesse), Moncton, Michel Henry Éditeur, 1989.

Mon mari est un ange, Moncton, Michel Henry Éditeur, 1988.

Les ans volés, Moncton, Michel Henry Éditeur, 1988.

Le gros ti-gars (jeunesse), Moncton, Michel Henry Éditeur, 1986.

Gracia Couturier

Chacal, mon frère

ROMAN

Catalogage avant publication de Bibliothèque et Archives Canada

Couturier, Gracia, 1951-
Chacal, mon frère / Gracia Couturier.

(Voix narratives)
ISBN 978-2-89597-126-9

I. Titre. II. Collection : Voix narratives

PS8555.O834C413 2010 C843'.54 C2010-901190-2

Les Éditions David remercient le Conseil des Arts du Canada, le Secteur franco-ontarien du Conseil des arts de l'Ontario et la Ville d'Ottawa. En outre, nous reconnaissons l'aide financière du gouvernement du Canada par l'entremise du Programme d'aide au développement de l'industrie de l'édition (PADIÉ) pour nos activités d'édition.

L'auteure remercie le Conseil des Arts du Canada (PICLO) et le Conseil des arts du Nouveau-Brunswick de leur aide financière par le biais de leur programme de bourse en création littéraire.

Conseil des Arts du Canada **Canada Council for the Arts**

Les Éditions David
335-B, rue Cumberland
Ottawa (Ontario) K1N 7J3
www.editionsdavid.com

Téléphone : 613-830-3336
Télécopieur : 613-830-2819
info@editionsdavid.com

Dépôt légal (Québec et Ottawa), 1er trimestre 2010

à Geneviève

I

BRUNO BELLEFLEUR se berce dans le vivoir de la grande maison familiale. Les jambes recroquevillées, le menton appuyé sur les genoux, immobile, il se berce à un rythme lent et régulier, comme si la berceuse se mouvait par elle-même sous l'hypnose du silence qui enveloppe la maison. Les yeux hagards rivés à l'écran de la télévision muette — Bruno déteste le bruit —, il regarde les tours du World Trade Center s'effondrer à l'écran. Les deux tours s'écrasent, l'une après l'autre, inlassablement, à intervalles presque réguliers. Il fixe l'écran, sans bouger.

Cette attitude figée n'a rien d'extraordinaire chez cet homme. Il a l'habitude de rester immobile durant de longues heures, le regard fixe devant lui. Ses yeux pers, recouverts en permanence d'un voile translucide, lui donnent un air absent, détaché du monde. Avec son teint grisâtre et son crâne chauve, il ressemble à une statue taillée dans le grès.

L'après-midi tire à sa fin. Depuis midi, Bruno regarde fixement le World Trade Center se détruire dans le silence de la maison Bellefleur. Chaque fois qu'une tour s'écroule au petit écran, l'homme de trente-trois ans se questionne sur la genèse de l'événement. Et il pense :

le soleil se lève parfois
sur la rive ouest
de la rivière

Cette rivière qui s'insinue dans la forêt dense file son chemin vers la mer, paisiblement, comme insouciante du drame qui se passe dans la maison Bellefleur.

La poussière emplit les rues de New York. Les gens courent partout, silhouettes grises de cendres. Les décombres suivent en débandade. Les gens se sauvent. Toute cette agitation rappelle à Bruno des images de printemps, quand la rivière en crue charrie tout ce qu'elle ramasse sur son passage. Chaque printemps, il passe des heures devant la fenêtre du salon à regarder la rivière déchaînée, réminiscence de sa propre genèse qui s'est écrite un soir d'avril, il y a trente-trois ans.

La rivière en crue commençait à sortir de son lit. Irène Bellefleur regardait l'eau progresser vers la maison. La pluie ne semblait vouloir cesser, pas plus que le tourbillon qui s'agitait dans son gros ventre. Assise dans sa chaise berceuse, Irène comptait les blocs de glace qui descendaient le courant devant la maison, en même temps qu'elle comptait les petits coups de pieds frénétiques contre ses côtes. Parfois elle mélangeait le nombre de blocs avec les ardeurs intermittentes du fœtus. La rivière en débâcle rythmait le tumulte de ses entrailles.

Figée dans sa contemplation, Irène goûtait cet instant de solitude, paradoxalement paisible. Elle ferma les yeux, continua un léger bercement. S'abandonnant à la somnolence, elle ne comptait plus ni les petits icebergs ni les coups de pieds. Dans le confort de son salon, à la chaleur du foyer en pierre des champs qui crépitait comme un matin d'hiver, elle ne sentit pas la température extérieure descendre brusquement, elle ne vit pas la pluie se changer en neige et la route se fermer progressivement à la circulation.

À la scierie du village, Georges était occupé à préparer les équipes de drave et ne vit pas, lui non plus, le temps changer. D'ailleurs, ce n'était pas une petite neige qui l'aurait inquiété ; il en avait vu d'autres, et des pires. C'est en sortant de l'usine à la fin de la journée qu'il constata le réel état des choses : sa voiture était ensevelie aux trois quarts sous la neige et il ne distinguait plus le chemin qui menait à la route du village.

Mais les gens avaient l'habitude de ces tempêtes dans les hautes terres du Madawaska et chacun avait sa solution de rechange : les raquettes, les motoneiges et autres véhicules patentés selon l'ingéniosité et les moyens. Les employés rentrèrent donc chez eux en se dépannant les uns les autres. Georges chaussa ses raquettes qu'il gardait toujours dans un placard et entreprit son trajet. À peine deux kilomètres, en piquant à travers le bois. Les arbres le protégeaient du vent. Une belle marche, au fond, mais c'était sans compter la crue des eaux : la rivière avait envahi le sentier qu'il avait défriché en ligne droite parmi les arbres, reliant sa maison à son usine. Il bifurqua à travers les conifères et se fraya un chemin plus haut, mais la neige mouillée et pesante ralentissait considérablement son pas. Il arriva chez lui une heure plus tard, trempé jusqu'à la moelle et trouva sa femme en plein travail, le front dégoulinant de sueur.

— Déjà !

Irène avait des contractions de plus en plus rapprochées ; c'étaient d'ailleurs ces douleurs lancinantes qui l'avaient tirée de son sommeil.

Si Georges avait sorti plusieurs fois de gros hommes de bourbiers dangereux et soigné des blessures graves du temps qu'il était bûcheron dans les chantiers, il n'avait aucune espèce d'idée quoi faire avec une femme sur le point d'accoucher. Irène lança un cri de douleur, paralysée par une forte contraction.

— Irène !

— L'hôpital...

— Les routes sont bloquées !

Irène reprit son souffle, regarda son mari droit dans les yeux et sur un ton de reproche qu'il ne lui connaissait pas :

— Ben, lui a décidé de naître aujourd'hui et ça, Georges Bellefleur, tu peux pas le négocier.

La remarque était blessante pour le jeune homme à l'aise et aux coudées franches qui faisait son chemin dans le monde des affaires depuis une dizaine d'années. Mais là, il se retrouvait dans un univers inconnu et il était seul à pouvoir intervenir. Il lui fallait réfléchir et vite : la ville et le médecin le plus proche sont à plus de cinquante kilomètres. Irène hurla de douleur. Il sauta sur le téléphone et appela son ami Rodney Jessop, en espérant qu'il ait eu la chance de se rendre chez lui.

— Ma femme est en train d'accoucher ! Qu'est-ce que je fais ?

Rodney consulta son épouse qui avait accouché deux fois. Georges haletait au bout du fil, heureux d'avoir fait installer le téléphone chez Rodney qui n'en voyait pas l'utilité. Rodney est un ami des chantiers qu'il avait convaincu de venir travailler pour lui et il voulait avoir son homme de confiance à portée de téléphone, malgré les réticences d'Irène qui lui reprochait d'empiéter sur la vie privée de ses employés.

— Tu vois, ma belle, dit-il à Irène en mettant la main sur le récepteur, c'est utile à autre chose que la scierie, le téléphone à Rodney.

Pour toute réponse à la pointe de son mari, elle hurla en se pliant en deux. Rodney entendit la plainte d'Irène et cria à son tour qu'il arrivait en *skidoo* et qu'ensemble, ils la transporteraient chez la vieille Élise.

— Elle en a eu quatorze, elle doit savoir quoi faire. Georges, ma femme dit qu'il faut pas qu'elle pousse. Faut pas qu'Irène pousse.

— Pousse pas, chérie, répéta Georges à Irène. Faut pas que tu pousses.

— Je voudrais t'y voir, toi, le bulldozer!

Georges encaissa le coup, ce n'était pas le temps de discuter. Le changement subit dans le caractère de sa femme l'énervait presque autant que l'urgence de trouver quelqu'un pour les aider. Dehors, on aurait dit que la rivière se retenait du mieux qu'elle pouvait, comme si elle voulait atténuer l'angoisse des riverains. Mais elle ne se dégonflait pas pour autant. Rodney arriva au bout de ce qui sembla une éternité pour le couple qui était sur le point de voir naître son premier enfant. Il entra dans la maison en coup de vent.

— Ça passera pas chez la vieille Élise, la rivière a emporté le petit pont.

Georges Bellefleur n'est pas homme à se laisser abattre. Il ne savait peut-être pas comment aider sa femme à accoucher et que faire du bébé une fois sorti, mais il connaissait la rivière depuis qu'il était enfant.

— Y a juste une solution, Rodney. La rivière.

— Pas pire que la drave.

Rodney Jessop aimait les défis. Georges encouragea Irène du mieux qu'il put. Mais le seul mot *drave* suffisait à l'inquiéter. Elle savait que Georges avait failli y laisser sa vie et que c'est justement ce qui l'avait incité à ouvrir sa scierie. À moins qu'il lui ait raconté cette histoire pour faire le faraud quand il avait voulu la convaincre de quitter la ville pour venir vivre avec lui. Avait-il eu besoin de se donner une image de valeureux pour se sentir à la hauteur de cette belle fille qui « faisait de la peinture » ? Une artiste, on n'avait jamais vu ça dans le village de Sainte-Croix. Quoi qu'il en soit, Irène n'avait pas le choix, le bébé s'en venait. Auraient-ils même le temps de se rendre chez Élise ? Et surtout d'y arriver sains et saufs ? Sans embâcle ? Comment les deux hommes pourront-ils se frayer un chemin parmi les amas de glace quand cette neige empêche de voir à deux pieds devant soi ? Irène n'avait jamais regretté d'avoir suivi Georges. Au contraire, elle adore la nature, elle se trouvait privilégiée à vingt-quatre ans, en début de carrière, de pouvoir se consacrer librement à son art, dans un environnement enchanteur. Val-Saint-Jean n'est qu'à cinquante kilomètres ; elle aurait le meilleur des deux mondes, avec un homme qu'elle aimait. Elle avait donc repoussé son voyage d'études en Italie pour épouser Georges. Ce soir-là, c'était la première fois qu'elle sentait l'isolement de Sainte-Croix. Impuissante, elle décida de mettre sa confiance dans les deux hommes. Pendant qu'ils sortaient le canot du hangar, elle se vêtit comme pour une partie de pêche printanière — bottes, ciré, capuchon — et se tint près de la porte. Georges revint dans la maison pour aider sa femme, il prit la couverture qui traînait sur le dossier d'un fauteuil et l'enroula dans le ciré d'Irène.

— On sait jamais.

Il l'aida à descendre la pente jusqu'au canot que Rodney retenait sur la neige. Elle s'accroupit à l'indienne au fond du canot que les deux hommes poussèrent jusqu'à la ligne d'eau. Ils embarquèrent. Le canot glissa, balança dangereusement, puis reprit son équilibre. Ils s'éloignèrent un peu du faux rivage et le canot fut aussitôt happé par le courant. Georges et Rodney manœuvraient du mieux qu'ils pouvaient, se criant l'un à l'autre des indications pour éviter les morceaux de glace et autres épaves charriés par l'eau agitée. Irène se tenait recroquevillée, les deux bras entourant tendrement son gros ventre. Elle murmurait à son fœtus qu'il pouvait compter sur son père et sur Rodney qui les mèneraient à bon port. Le bébé lui répondait par des coups de pieds dans les côtes. Elle lui murmurait de tenir bon. Le courant est rapide, la délivrance ne saurait tarder. Il pourra, lui aussi, sortir de son nid et se déployer librement dans le monde. Elle lui répétait ses encouragements. Il fallait s'accrocher, être fort, avoir foi. Les deux hommes fournissaient l'effort, la vie ferait le reste. Les grincements inquiétants qu'ils entendaient n'étaient que des morceaux de glaces qui frôlaient le canot, mais l'embarcation était solide. Georges l'avait construite lui-même. Il y avait mis toutes ses connaissances et son talent. Il ne restait plus qu'à s'en remettre à la rivière, elle les mènerait chez la vieille Élise.

Une violente secousse déstabilisa le canot, les éclaboussures d'eau glacée en inondèrent le fond. Irène fut prise d'un grand frisson, mais se ressaisit aussitôt. Elle inspira profondément. Il fallait faire confiance à la vie, à la rivière, aux deux hommes qui dirigeaient avec prudence. Soudain, elle sentit une tiédeur s'insinuer entre ses cuisses. Accroupie comme elle l'était, les pieds dans l'eau glacée, les fesses baignées dans le liquide chaud, elle envisagea le pire et se mit à trembler de tous ses membres. Elle ne pouvait plus se maîtriser. Elle avait beau essayer de respirer, les tremblements s'accentuaient. La neige lui fouettait le visage et fondait aussitôt, se mélangeant aux sueurs de l'inquiétude et du danger. Il y avait dans cette petite coquille de fibre de verre deux univers bien distincts : deux hommes qui luttaient pour vaincre les forces de la nature, trop concentrés pour s'apercevoir que le véritable drame se déroulait au fond du canot. Même consciente que Georges et Rodney faisaient l'impossible pour la sauver, Irène se sentait profondément seule en essayant de retenir en elle cette vie prête à lui échapper entre les cuisses.

— C'est là !

Une faible lueur perçait l'écran de neige. Les deux hommes manœuvrèrent pour diriger le canot vers le rivage. Il fallait redoubler de prudence, surveiller pour ne pas être pris de travers par la glace qui pouvait les faire chavirer.

— Attention !

Deux forts coups de rames… et le bloc de glace fut évité de justesse. Il heurta à peine l'arrière du canot, ce qui au fond les aida à le diriger vers la rive. Les deux hommes entamèrent un dernier sprint et Rodney put enfin sauter sur la berge et tirer le canot sur la neige molle. À quatre pattes, il tirait le canot. Georges poussait derrière, jusqu'au perron de la vieille Élise. Rodney ouvrit la porte à Georges qui portait sa femme dans ses bras.

La vieille terminait de laver sa vaisselle. Elle sursauta quand elle vit ces deux hommes dégoulinants entrer chez elle. La septuagénaire eut juste le temps de déshabiller Irène, de la sécher un peu, de l'installer dans son lit, de faire bouillir l'eau et de rassembler le nécessaire que le bébé poussait son premier cri. À peine trente minutes. Au pied du lit, les deux hommes venaient d'assister à une naissance pour la première fois de leur vie. Georges regardait Irène, rempli d'admiration et d'amour pour cette femme qui n'avait pas émis le moindre gémissement durant tout le trajet alors qu'elle éprouvait des douleurs atroces. Il s'approcha d'elle, se pencha et l'embrassa sur le front.

— Je t'aime, dit-il d'une voix étouffée.

— Merci, Georges. J'ai eu si peur. Merci.

Élise laissa un moment au couple, puis revint dans la chambre, elle avait un travail à finir. Sachant très bien que si les hommes avaient supporté la délivrance de l'enfant sans tomber dans les pommes — ils étaient un peu pâles, mais ils avaient tenu le coup —, elle doutait qu'ils puissent supporter de la voir couper ce cordon et accueillir le placenta sans vomir. Elle envoya Georges à la cuisine.

— Vous devez avoir faim. Fouillez dans le frigidaire et prenez-vous à manger.

Les deux hommes étaient assis dans la cuisine, silencieux, un peu timides. Rodney n'en pouvait plus, la faim le tenaillait ; il pensait à son souper resté sur la table chez lui. Et puisque Élise leur avait donné la permission, il s'aventura dans le réfrigérateur de la sage-femme et en sortit un poulet presque entier. Il trouva également des patates, des navets, des carottes — on aurait dit que la vieille attendait des invités qui n'étaient pas venus, tellement il y avait de nourriture. Rodney repéra les assiettes et les ustensiles et se mit aussitôt à table. Malgré qu'elle fût refroidie, la nourriture n'avait jamais paru aussi bonne à Rodney Jessop qui s'empiffrait comme s'il sortait du chantier après un dur hiver.

— La vieille est vraiment bonne cuisinière.

Devant le silence de son compagnon, Rodney leva les yeux et vit Georges penché au-dessus de son assiette vide, la tête dans ses mains tremblantes, les épaules sautillantes. Il resta un moment interdit, puis se remit à manger en silence.

Élise quitta enfin la chambre. La mère et l'enfant s'étaient endormis, sa mission était accomplie. Elle avait l'impression d'avoir vingt ans de moins, tellement cet événement l'avait touchée. Au moins, elle servait encore à quelque chose. Elle rangea le linge souillé, donna à Rodney le bassin contenant le placenta et le reste du cordon.

— Irais-tu jeter ça dehors pour moi ? Tire ça à bout de bras vers le trou à compost à droite.

En retenant un haut-le-cœur, Rodney prit le bassin et sortit. Il fit comme Élise lui avait dit, rinça le bassin avec de la neige mouillée, puis entra. En le voyant revenir, Élise constata que les deux hommes étaient trempés. Elle insista pour qu'ils se déshabillent, qu'ils revêtent chacun une « jaquette » de *flanellette* — c'est tout ce qu'elle avait d'assez grand pour eux — pendant qu'elle faisait sécher leurs vêtements. De toute façon, ils ne pouvaient pas retourner chez eux ce soir-là, ils devraient coucher chez elle. Il commençait à être tard, il n'y avait plus de pont et impossible de remonter en petit canot cette rivière déchaînée.

— Demain est un autre jour. En attendant, je vais faire du thé.

Cette soirée resta mémorable dans le souvenir des deux hommes et finit de souder leur amitié déjà très forte. Ils s'étaient connus au chantier. Georges y passait son premier hiver, mais Rodney, de dix ans son aîné, avait l'expérience et en avait fait profiter le jeune néophyte, lui évitant problèmes et accidents. Il lui avait même donné des trucs pour rendre son travail plus efficace.

Georges mangea une cuisse de poulet pendant qu'Élise préparait le thé. L'un après l'autre, les hommes se résignèrent à mettre les vêtements d'Élise, question de ne pas attraper une pneumonie. Adossés à leur chaise, dégustant leur thé chaud sous la bienveillance de leur hôtesse, Georges et Rodney racontaient les détails de leur aventure. Les deux hommes virent tout à coup le ridicule dans lequel ils se trouvaient : tous deux en « jaquettes », à boire du thé chez la vieille Élise à qui ils n'avaient pratiquement jamais adressé la parole. Les deux hommes éclatèrent de rire en même temps. Ils ne pouvaient plus s'arrêter, ils riaient à s'en rompre les côtes. Ils n'essayaient même pas de retenir les larmes qui libéraient toute la tension, la peur et l'angoisse qu'ils contenaient depuis des heures. Élise souriait, amusée de la situation, heureuse d'avoir un peu de compagnie, et surtout, à presque quatre-vingts ans, d'avoir mis au monde son centième enfant.

Mais l'histoire de cet enfant qui venait de naître avait pris racine dans la tourmente.

... le soleil se lève parfois sur la rive ouest... comme si la vie voulait en finir avant de commencer...

Les circonstances pénibles entourant la naissance de Bruno sont encore aujourd'hui évoquées pour expliquer sa grande fragilité, ses périodes de mélancolie et son discours incohérent.

Les tours du World Trade Center continuent de s'effondrer devant le regard fixe de Bruno Bellefleur. La berceuse rythme les minutes, les heures qui s'écoulent, comme la rivière qui coule devant la maison cadence la fin du jour.

Le téléphone sonne pour la deuxième fois, mais Bruno ne bronche pas, comme s'il était sourd. Ses yeux blafards ne clignent pas. Le Pentagone est échancré, les New Yorkais pleurent. Sans émotion, Bruno se berce, témoin visuel du chaos.

... chacun porte désormais en lui les cicatrices d'une fin d'été... les cicatrices perpétuent le souvenir...

Le téléphone sonne pour la troisième fois, la porte de la maison s'ouvre en coup de vent et se referme dans un claquement. Au pas de course, Étienne va répondre. Tante Alice commençait à s'inquiéter. Elle lui annonce que le curé de la paroisse vient de mourir, qu'elle sera très occupée en tant que présidente du comité paroissial à préparer l'église et le goûter. Elle s'informe si tout va bien en l'absence de Georges et d'Irène. Étienne la rassure, lui ferme presque le téléphone au nez, court au réfrigérateur pour prendre une bière et file aussitôt dans le vivoir, saisit la télécommande et augmente le son du téléviseur.

Bruno ne réagit pas. La présence de son frère cadet vient briser sa quiétude. Qu'il serait donc bien sans lui ! Il se lève péniblement. D'un pas lent et claudicant, il descend jusqu'à la rivière et marche dans l'eau vive du courant pour faire cesser le picotement dans ses jambes. Le soleil resplendissant de septembre se reflète en diamants sur l'eau. Bruno marche dans les diamants qui rétablissent petit à petit sa circulation.

Étienne a bu sa bière d'un trait. L'émotion lui avait séché la gorge. Il court se chercher une autre bière, il ne veut rien manquer. Les images s'enchaînent, les reportages se superposent aux images reprises, entrecoupées de nouvelles, vues d'un angle différent, d'un autre angle encore, des prises de vue à trois cent soixante degrés, mais toujours les deux mêmes tours, les deux mêmes avions, le même oiseau noir qui traverse la poussière dans un rayon de lumière filtrée, le même terrorisme vu sous plusieurs angles. Étienne veut tout savoir sur ce drame d'un surréalisme hier encore inimaginable.

Bruno marche dans les diamants de la rivière ; les reflets rosés évoquent les lilas qu'il avait égrenés dans le courant, le matin de la naissance d'Étienne.

... une naissance à l'odeur de lilas...

Il revient vers la maison, d'un pas lent, mais revigoré. Il traverse le salon sans se soucier de l'eau qui dégouline de son pantalon. Ses empreintes de pieds marquent le plancher de bois franc. Il monte à sa chambre, verrouille la porte derrière lui. Il s'assoit à l'indienne sur son lit, installe son portable dans le V de ses jambes. Il se concentre à un point tel qu'il n'entend même pas le cliquetis du clavier.

… Étienne ne connaît pas le torrent, il est né un doux soir de juin, parmi l'odeur des lilas qui entrait dans la chambre… j'étais là… je m'en souviens… une naissance douce, sereine, il pleurait à peine, de crainte qu'on l'entende naître… que je l'entende naître…

naître en silence
vivre en silence
dans l'ombre, mourir

… il reposait dans les bras d'Irène, il s'était fait les joues toutes roses, il s'était mis un petit sourire sur les lèvres pour mieux la charmer, il dormait à petits poings fermés, blotti au creux de sa poitrine découverte… il la voulait pour lui tout seul… j'étais là, appuyé sur le bord du lit, je regardais ces deux êtres inertes, celle que j'adorais par-dessus tout et celui qui venait me la ravir… je le déteste… j'observais ce tableau inanimé… ce spectacle odieux m'inspirait le dégoût d'une mort si sereine, une mort à l'odeur de lilas… l'amertume me serrait le cœur… je restais là, je les touchais, à peine un effleurement, je soufflais une petite brise chaude sur les doigts de ce bébé, puis sur ceux de ma mère… une petite brise… je leur donnais mon souffle chaud… et je m'inscrivais dans le tableau funéraire de la famille…

— Bruno !
Bruno fait fi d'Étienne, il reste blotti dans son souvenir.

… cette nuit-là, j'ai fermé la porte de ma chambre… je n'ai pas dormi… j'écoutais le silence de la mort dans la pièce voisine… le pas de mon père qui, de temps à autre, passait devant ma porte, descendait l'escalier… suivait un moment de silence… je retenais mon souffle… il remontait, repassait devant ma porte… puis un chuchotement dans la chambre voisine, mon père parle aux morts… cette nuit-là, je n'ai pas dormi… je n'allais plus jamais dormir la nuit…

— Bruno ! As-tu faim ?

… le soleil s'était levé sur la rivière… je suis descendu me baigner dans cette eau de juin à l'odeur de lilas… j'avais cueilli des fleurs, je les ai égrenées sur l'eau et je les regardais disparaître dans le courant… j'embaumais ma mère, la rivière…

— Bruno ! pour la dernière fois…

Bruno reste concentré sur ce qu'il a à faire, la seule raison de son retour à la maison après cinq ans d'exil sans donner de nouvelles à qui que ce soit, sauf à sa mère le jour de sa fête, jour aussi où il lui soutirait de l'argent pour passer l'année. Bruno était parti sur ce qui avait semblé un coup de tête aux yeux de tous. Mais pour lui, ce départ avait été planifié, dans un but bien précis.

… quant au petit qui était né en silence… il fallait lui trouver un trépas qui le punisse de son crime…

Étienne avale sa pizza, les yeux rivés sur l'écran, il monte encore le volume de l'appareil. Il n'entend pas tante Alice frapper à la porte. Elle entre dans la maison, elle a besoin de constater par elle-même que tout va bien, elle avance vers le vivoir, en interpellant Étienne. Il sursaute.

— Ah ! Tante Alice. Vous regardez pas les événements ?

— J'en ai plein les bras avec la mort de notre curé.

— Le curé Brisebois est mort?

— Étienne, je te l'ai dit au téléphone, après-midi.

Étienne s'excuse, il n'a pas saisi, il était tout absorbé par la catastrophe. Alice voit la pizza intacte dans une grande assiette, sur la petite table adjacente à la chaise berceuse.

— Pas de problèmes avec Bruno, j'espère.

D'un signe de tête, il répond négativement. Elle demande des nouvelles de ses parents.

— Ils doivent être pris quelque part : toute la circulation aérienne est bloquée.

Alice s'inquiète pour son frère Georges. C'est un des hommes les plus influents du village. Elle s'inquiète davantage de Bruno, le pauvre est sans défense.

— Tu vas t'organiser pour que Bruno mange, hein?

— Oui, oui.

Alice peut retourner vaquer à ses affaires. Elle crie au revoir à Bruno, mais n'attend pas de réponse de son neveu taciturne, et sort.

Sitôt la porte refermée, le téléphone sonne. Impatient, Étienne se hâte de répondre. La voix de sa mère lui arrive comme l'écho des recommandations d'Alice. Il sent une lassitude l'envahir. Irène lui confirme ce qu'il sait déjà : le trafic aérien est bloqué. Elle et Georges sont encore en Grèce. Étienne lui annonce la mort du curé Brisebois. La nouvelle surprend Irène : l'homme semblait en parfaite santé. Elle téléphonera à sa sœur Clothilde, son amie, pour lui transmettre ses condoléances, mais Étienne devra représenter la famille aux funérailles.

— Autrement, ça va?

— Oui, je regarde les événements à la télé. Bruno est dans sa chambre… comme d'habitude.

Étienne lève les yeux vers l'escalier, baisse le regard sur les rayons du soleil couchant qui balaient le plancher. De la porte jusqu'à l'escalier, des pistes de pieds traversent la pièce. Légère boue séchée garnie de brins d'herbe. Il se penche, passe la main sur une des empreintes pour l'effacer. Son geste ne fait que brouiller la piste sans la faire disparaître. Il va chercher un chiffon à la cuisine, tout en poursuivant la conversation.

— Et votre voyage ?

— Merveilleux.

Étienne essuie le plancher en écoutant sa mère. Il aurait dû mouiller son chiffon. Sa mère entend la respiration saccadée de son fils.

— Étienne, ça va ?

— Absolument. Je ramassais juste un papier que j'ai échappé.

Il préfère mentir à sa mère plutôt que de l'inquiéter. Mais ça ne va pas du tout. Bruno n'aurait jamais traversé la maison les pieds mouillés si sa mère avait été là. Il n'ose rien devant elle, mais dès qu'elle a le dos tourné, il fait tout pour empoisonner l'existence de son frère cadet. Comme s'il s'était investi d'une mission et qu'il s'y acharnait sans relâche depuis sa naissance, et pire encore depuis son retour. Irène rappellera dès qu'ils trouveront un vol à destination du Canada.

Étienne raccroche, termine sa tâche. Il lance son chiffon dans l'armoire sous l'évier de la cuisine et retourne s'asseoir devant la télé. Il se sent désabusé. Même les témoignages déchirants des victimes ne l'émeuvent plus. L'atmosphère de la maison lui pèse trop lourd. Il a besoin de sortir. Quitte à redescendre en ville, il téléphone à Lorraine et s'invite chez elle. Avant de sortir, il crie à Bruno que sa pizza est sur le comptoir de la cuisine.

... et toi, qui m'attendais... qui m'aimais déjà dans le tumulte des eaux... et moi qui t'attends, ma mère, ma rivière, la berceuse de mes jours... des jours d'été aussi longs que les nuits d'hiver... le petit, il faudra un jour qu'il paie pour son crime...

Étienne a fermé la télé avant de sortir, la maison est de nouveau plongée dans le silence. Bruno aime le silence. Seul le cliquetis du clavier se mêle au pépiement des oiseaux près de la fenêtre.

Étienne arrive chez Lorraine, il l'embrasse distraitement. Elle remarque la lassitude qui lui éteint le regard et s'en inquiète.

— Même vieille rengaine, lui dit Étienne, je veux pas t'importuner avec ça. Je voudrais plutôt me changer les idées.

— Veux-tu qu'on aille au pub, au cinéma...

— Je sais pas. On dirait que j'ai le goût de rien.

— Allons marcher. On verra où ça nous mène.

L'air est frais et doux sous ce ciel indigo de fin du jour. Étienne respire un peu mieux. La seule présence de Lorraine le réconforte ; cette fille a le don de l'apaiser. Son calme la rend si séduisante. C'est justement ce qui l'avait attiré la première fois qu'il l'a vue. Il prenait un café avec son copain, Frédéric. Sophie, l'amie de Frédéric, venait les rejoindre pour aller au cinéma. En route, elle avait croisé Lorraine et l'avait invitée à se joindre à eux. Étienne ne se souvient plus du film, il n'avait eu d'attention que pour elle.

Il la regarde, lui sourit, attendri par ce souvenir.

— J'aime quand tu souris comme ça, dit-elle.

Il la serre contre lui, tout en continuant de marcher.

Bruno sort de sa chambre, téléphone à tante Alice.

— J'ai faim.

— Passe-moi Étienne.

— Parti.

Alice est un peu contrariée, mais elle va quand même lui préparer quelque chose et aller le lui porter. Elle arrive chez les Bellefleur en moins de vingt minutes et trouve Bruno blotti dans sa berceuse qu'il a déplacée en face de la fenêtre donnant sur la rivière. Bruno s'assoit toujours dans la même berceuse, celle dans laquelle sa mère le berçait. Au gré de ses humeurs, il la déplace à divers endroits de la maison, selon qu'il veut être face ou dos à la rivière, à une porte, à un mur ou parfois, tout simplement au pied de l'escalier.

— Tiens, cher, un bon sandwich au jambon comme t'aimes.

Bruno mange son sandwich sous le regard apitoyé de sa tante. Alice ne peut s'empêcher d'avoir pitié de Bruno. Elle le connaît depuis sa naissance. Elle sait que tout s'est gâché pour lui à la naissance d'Étienne. Bruno avait régressé : elle l'avait vu dans son quotidien. Elle était bien placée pour cela. Elle venait chaque jour chez les Bellefleur pour aider Irène, nettoyer la maison, faire le lavage, les repas. Elle ne pouvait laisser toutes ces tâches à son pauvre frère qui travaillait si fort. Elle, l'aînée de la famille, se devait d'aider son frère cadet. Déjà, à la naissance de Georges, Alice cajolait ce petit bijou de bébé, comme si elle s'était investie d'une responsabilité que les autres membres de la famille ne pouvaient assumer. Au fil des ans, elle était devenue la femme de ménage attitrée chez Georges. Et elle est devenue indispensable au moment de la maladie d'Irène.

L'événement a été un tournant dans la vie de la famille. Étienne avait un an — Irène avait fait une fausse couche entre lui et Bruno —, combien d'autres bébés viendraient encore s'ajouter ? Et ce voyage en Italie ? Elle ne le ferait jamais ? Le cancer ovarien qui s'était déclaré avait fait prendre conscience à Irène que son semblant de vie idéale était en train de devenir un carcan qui l'étouffait. Déjà qu'elle peignait beaucoup moins. Son dernier tableau datait de quand ? Elle dut faire un effort de mémoire pour se rendre compte qu'elle n'avait peint qu'un seul tableau depuis la naissance d'Étienne, et encore, c'était pour le mur de la chambre du bébé. Pour elle, la maladie venait sonner l'alarme. Pendant toute la durée de ses traitements à Québec, elle avait profité de ses quelques moments de répit pour visiter des galeries d'art, parler avec des artistes. Deux fois par mois, elle venait à la maison voir les enfants. À la fin de son traitement, sa décision était prise : elle irait passer six mois en Italie pour étudier. Elle se trouvait raisonnable, puisque le voyage initial qu'elle avait repoussé pour épouser Georges devait durer deux ans. Il y avait de cela sept ans, il était maintenant temps de le faire, ce voyage. Après une longue discussion avec son mari, il fut décidé, d'un commun accord, qu'Irène irait en Italie, mais pas plus de trois mois. À partir de là, les voyages sont devenus un rituel dans sa vie d'artiste. Déterminée et remplie d'ambition, Irène ne veut pas rester en marge de ce qui se fait ailleurs, malgré l'isolement dans son village. Chaque année, elle ira se ressourcer soit en Europe, soit à New York, à Montréal, à Toronto ou à Vancouver. Autant elle aimait ses deux garçons et la vie avec son mari, autant Irène Léger avait besoin de créer autre chose que des bébés. De toute façon, devenue stérile par la radiation des traitements subis, elle ne pouvait plus enfanter et la disponibilité d'Alice facilitait ses déplacements.

C'est ainsi qu'Alice en est venue à faire partie intégrante de la maison, même si elle n'y emménagera jamais. Elle avait ses propres enfants qu'elle emmenait souvent avec elle chez les Bellefleur, au point que les deux familles sont devenues très proches l'une de l'autre. Alice ne jugeait pas Irène, mais plaignait son pauvre frère d'avoir un fils handicapé mental et l'autre, indifférent et sans véritable projet. Elle qui avait eu la chance d'avoir des enfants si « normaux ». S'ils lui manquent souvent — son garçon vit à Toronto et sa fille à Calgary —, Alice se console. Au moins, ils mènent une bonne vie.

Étienne et Lorraine sont assis au pied des chutes du Petit-Sault, à l'extrémité du parc. Ils sont descendus sur les grosses roches. Cette descente rappelle à Lorraine le patient qu'elle a accueilli à la salle d'urgence dans la matinée. Il s'est précipité du haut de la trop basse falaise pour s'enlever la vie. C'était un peu plus en amont, près du barrage hydroélectrique. Elle revoit l'adolescent qui gît inconscient dans un lit d'hôpital, mais tente, sans succès, d'éloigner cette pensée.

Assis sur les grosses roches, Étienne regarde l'eau de la chute qui éclabousse dans tous les sens, contrepoids de la lourdeur qui l'habite. Lorraine essaie de trouver la cause du désarroi d'Étienne, mais l'image de l'adolescent ne la quitte pas. Elle revoit ce jeune corps lacéré par le désespoir d'une vie trop lourde à porter. L'infirmière a pourtant l'habitude des gens mal en point, elle se trouve en première ligne quand ils arrivent à l'hôpital. Elle qui a choisi de travailler à sauver des vies, justement parce qu'elle aime tant la vie, conçoit mal qu'un adolescent veuille en finir. Et ceux qui la connaissent plus intimement la disent douée pour le bonheur. Mais ce soir, malgré tout son talent, elle ne réussit ni à faire sortir Étienne de sa tristesse, ni à oublier sa propre inquiétude. Au pied des chutes du Petit-Sault, ce soir, les deux amoureux ont l'âme en éclaboussures.

L'aube se lève, Bruno éteint son ordinateur et s'étend sur son lit. Il n'a même pas pris la peine de lever les couvertures. Le soleil pâlit le ciel de New York comme pour remettre les pendules à l'heure du drame. Étienne ouvre les yeux dans son lit humide de sueur. Il regarde le réveil et se rendort. La journée peut attendre encore une heure. Pour ce qu'elle promet, inutile de se presser, il n'a pas de cours avant dix heures.

Lorraine déjeune et part travailler, prête à toute éventualité. Elle ne sait jamais ce qui l'attend. La salle d'urgence, c'est une boîte à surprises : d'un calme plat, elle peut devenir un enfer en quelques minutes, Lorraine a l'habitude. Déjà, enfant, elle s'amusait à jouer au docteur avec des oiseaux, des chats ou avec tout autre animal en détresse qu'elle trouvait autour de la maison. Quand elle n'en voyait pas, elle inventait des traumatismes à son frère et à ses amis. Pour donner un semblant de réel, elle couvrait d'abord la présumée blessure de ketchup, puis elle nettoyait la « plaie » avec de l'eau et faisait le pansement. Personne n'a été surpris de son choix de carrière.

Étienne se dirige vers l'université. Bruno dort dans la maison silencieuse, au cœur d'une forêt presque vierge, si ce n'était le petit village de Sainte-Croix, serré autour d'une scierie qui le fait vivre. Depuis que Georges Bellefleur a ouvert sa scierie, le village a prospéré. Du temps de son grand-père, les maisons étaient très éloignées les unes des autres. Aujourd'hui, les fils ont construit des maisons à proximité, voyant dans la nouvelle scierie le moyen de gagner leur existence. Il n'était plus nécessaire de s'exiler en ville ou aux États-Unis, il y avait une usine à la porte. Et de la forêt à profusion pour l'alimenter. En l'espace de quarante ans, Sainte-Croix était passé d'une bourgade à un beau village dynamique. Au fil des années, l'industrie forestière a entraîné le village dans la modernisation, et aujourd'hui, comme partout au pays, il bat au rythme de la mondialisation.

Georges Bellefleur est très respecté dans le comté, il nourrit à peu près toutes les familles, que ce soit par l'embauche directe de bûcherons ou d'employés de la scierie, ou par les retombées économiques et les emplois indirects qui s'y créent. L'homme d'affaires prospère est-il plus craint que respecté ? Il serait difficile d'affirmer l'un ou l'autre ; tout le monde reste poli avec le nourricier du village de Sainte-Croix. Et malgré son absence, la scierie continue à tourner ; les hommes, à recevoir leur paye. Pendant que les femmes travaillent à quelque emploi à la caisse populaire, à l'école primaire ou au magasin général ou encore au garage ou dans une petite entreprise, l'usine de Georges Bellefleur alimente toute cette économie locale. Certains villageois plus prévoyants qui voient vieillir l'homme se demandent qui prendra la relève. Tous voient bien que l'aîné n'est ni plus ni moins que le fou du village revenu rôder dans les environs depuis les fêtes, et que le cadet fréquente l'université de Val-Saint-Jean depuis des années sans que ses études semblent le mener nulle part. Faudra bien pourtant que quelqu'un prenne la relève un jour ! La survie du village en dépend.

À midi, Bruno se réveille, descend à la cuisine. Il mange les croissants qu'Étienne lui a laissés avec les bonnes confitures de tante Alice. Elle veille à ce qu'il n'en manque jamais. Bruno nettoie son assiette, remet deux croissants dans la position exacte de ceux qu'il a mangés et laisse l'assiette où elle était. Il monte à la chambre d'Étienne, prend le petit cahier noir sur la table de chevet. Il lui faut se mettre à jour dans le journal d'Étienne. Il l'ouvre à la dernière page et lit : « Les remous d'une décadence. Transiger avec l'interdit, comme la rivière au printemps quand les mouettes égarées se bousculent dans le ciel. Et que les hommes suffoquent dans les rues de la ville, aux fenêtres des magasins de bonheur. J'étouffe. »

Bruno lit les pages à rebours. Il trouve dans l'écriture d'Étienne des influences du recueil de poésie de Chacal, recueil qu'il lui a offert à Noël dernier pour marquer son retour à la maison. Étienne avait été surpris de recevoir un cadeau de son frère aîné, lui qui n'avait jamais rien fait pour lui faire plaisir. Comment Bruno savait-il que Chacal était un de ses auteurs préférés ? Bruno relit l'intégral du journal — rien ne doit lui échapper — puis, il relit *La crue des eaux* de Chacal.

sous sa couche de glace
la rivière caresse
le ventre de l'hiver

Un sourire se dessine au coin de ses lèvres à l'idée que son cadeau ait pu toucher l'âme de son frère, de l'enfant devenu homme, de l'enfant qui un jour lui a ravi sa mère, l'enfant qui devra payer son crime d'un matin de printemps. Ce matin-là, près de la rivière, Bruno avait senti son univers s'écrouler : sa mère si douce, si forte, qui l'avait porté jusque dans les torrents pour lui donner vie, sa mère avait choisi quelqu'un d'autre, l'avait remplacé. Par un faible. Devrait-elle aussi subir le joug de la justice ? Bruno n'en savait rien, trop jeune à ce moment-là, frémissant dans la rivière de juin, égrenant des lilas sur sa douleur d'enfant, lui le laissé-pour-compte, le rejeton privé, perdu, né dans le tumulte des eaux. Et aujourd'hui, il n'en est pas encore certain. Il est revenu, après cinq ans d'absence passés à réfléchir, il est revenu pour régler le cas d'Étienne. Il verra après, si sa mère le rétablit de sa destitution. Il a préservé un petit coin éclairé dans son cœur pour lui pardonner, puisqu'elle l'a toujours défendu contre ceux qui le condamnaient pour des vétilles. Malgré qu'elle passait des heures enfermée dans son atelier, malgré qu'elle s'absentait chaque année pour de trop longues périodes, elle l'a toujours compris. Parce que, comme lui, elle est une artiste.

Bruno remet le cahier en place et retourne dans sa chambre pour une sieste. Il ferme la porte à clé, cette clé qu'il porte en amulette autour de son cou. Il s'enfouit sous les couvertures, se recroqueville, ramène la couverture par-dessus sa tête et s'endort. L'après-midi suit le fil du temps.

Alice guette le retour d'Étienne depuis presque une heure, braquée devant la fenêtre de son salon, les jumelles aux yeux. Enfin, la voiture entre dans la cour. Presque six heures, pas trop tôt. Alice retient son souffle. Elle plisse le nez, ajuste ses jumelles pour reconnaître la jeune femme qui accompagne son neveu. Lorraine aide Étienne à sortir les sacs d'épicerie, puis ils entrent dans la maison. Alice est soulagée, elle pourra aller au bingo ce soir, sans s'inquiéter de Bruno. Elle est certaine qu'Étienne fera un bon repas. Quand il veut, celui-là, il a du talent.

Bruno voit une fille flotter au-dessus de la rivière embrumée des premiers matins d'automne. Sa voix est chantante, ses gestes suaves à peine esquissés dans la lumière du soleil qui s'infiltre à travers la brume, sur les eaux fraîches de la rivière. La voix de la fille remplit tout le rêve de Bruno. Il nage entre deux eaux. Le rêve se fond à la réalité et Bruno entend la voix de Lorraine dans la cuisine. Il ne distingue pas clairement ce qu'elle dit, mais il sait que c'est elle.

Lorraine reproche à Étienne de s'apitoyer inutilement sur lui-même. Son sort est plus qu'enviable : héritier naturel d'une entreprise prospère, dans un lieu paradisiaque.

— C'est là tout le problème, Lorraine. J'en veux pas de sa scierie ! J'en ai par-dessus la tête des affaires de Georges Bellefleur !

— Qu'est-ce que tu veux, Étienne ? Qu'est-ce que tu cherches dans la vie ?

— Je suis un littéraire, pas un homme d'affaires.

— Qu'est-ce que tu fais en droit ?

— Je tue le temps.

Bruno apparaît dans l'entrée de la cuisine. Étienne reste saisi, fallait pas que son frère entende ça. Bruno le fixe directement dans les yeux.

— Le temps nous tue. J'ai faim.

— Ça s'en vient. Va te débarbouiller, tu ressembles à une taupe en fin d'hiver.

L'impatience d'Étienne perturbe Lorraine, même si elle comprend que Bruno peut parfois être difficile à supporter. Elle ne connaît pas beaucoup Bruno, l'a vu pour la première fois au réveillon de Noël dernier. Il venait de mettre fin à son exil. Elle admet qu'il puisse exister des difficultés entre frères. Toutefois, ce qu'elle ne comprend pas, c'est le grand détour que prend Étienne dans sa vie professionnelle. Quelque chose lui échappe dans cette histoire. Elle le connaît depuis trois ans. Tout semblait normal, à l'exception près qu'à vingt-neuf ans, il demeure toujours chez ses parents. Mais encore, la chose peut s'expliquer.

Son père paye toutes ses études et il est plus économique de demeurer à la maison. Même si à plusieurs reprises elle a offert à Étienne d'emménager avec elle à Val-Saint-Jean — il serait plus près de l'université —, il se dit très bien avec ses parents. Aussi, il aime Sainte-Croix, malgré qu'il trouve envahissant que tout le monde sache tout à propos de tout le monde. Mais puisque le retour de Bruno lui cause des problèmes, pourquoi refuse-t-il encore son offre de déménager avec elle ?

— C'est plus complexe que ça.

— Explique-moi.

— Y a rien à expliquer…

Exaspérée, Lorraine se tait. Habituée qu'elle est à prendre l'initiative, à régler les problèmes, pas à les subir. Quand elle voit son amoureux se résigner à une situation qui le lèse, elle en éprouve parfois une sourde colère.

Étienne ouvre une bouteille de vin, les trois se mettent à table. Cette fois Bruno mange avec appétit.

— J'ai rêvé… Lorraine... une robe blanche sur la rivière.

Elle sourit, empathique. Il pose sa main sur celle de Lorraine, assise en oblique.

— Une mariée.

Lorraine frémit. C'est la première fois que Bruno la touche. La main trapue pèse comme un poids mort sur la sienne. Elle tente de retirer sa main, mais il la serre davantage ; il la fixe dans les yeux, en répétant le mot *mariée*. Elle rougit, ne sait trop comment réagir, elle se sent happée par Bruno qui la retient fermement malgré elle. Il prend la bouteille et verse le vin dans le verre de Lorraine, puis dans le sien. Une goutte de vin tombe sur la nappe blanche. Bruno fixe la goutte rouge.

— La nappe… si blanche… souillée de rouge… si rouge… le sang sur le voile de la mariée…

Lorraine ne saisit pas le sens de ce propos. Elle se tourne enfin vers Étienne pour voir s'il y comprend quelque chose.

— Mange, Bruno.

C'est tout ce qu'il a trouvé à dire. Suffisant toutefois pour que Bruno laisse la main de Lorraine. Elle éprouve un étrange malaise, ne sait trop quoi penser de cette situation. Elle aime beaucoup Étienne, mais lui, habituellement si attentionné et galant avec elle, pourquoi laisse-t-il ainsi son frère l'intimider? Elle est tout autant perturbée par sa propre réaction que par le comportement de Bruno. Ce soir, devant lui, elle se sent impuissante, elle perçoit son geste comme une agression à peine voilée. Ce qu'Étienne n'a pas voulu lui dire tout à l'heure est peut-être plus que complexe. Lorraine est habituée à des relations familiales claires, sans cachotteries. Elle ne craint pas de révéler quoi que ce soit de sa famille. Étienne sait tout d'elle, de sa relation avec sa mère, son père, ses frères et sœurs. Chez elle, il n'y a pas de mystères, des heurts à l'occasion, mais rien d'extraordinaire, rien qu'on se doit de garder caché. Dans cette zone inconnue, Lorraine se sent très mal à l'aise.

Le silence s'est installé autour de la table, chacun a le nez dans son assiette. Étienne a bien vu le sérieux du geste de Bruno, mais son éducation l'oblige à respecter la quiétude du repas et ne pas causer de discussion violente qui viendrait perturber le moment censé être privilégié dans une famille civilisée.

— Le curé… mort.

Lorraine tourne le regard vers Étienne, attend qu'il réponde quelque chose.

— Oui, le curé est mort. On va l'enterrer demain.

— Pas de mariage.

— On aura un autre curé, Bruno, il y aura d'autres mariages.

— J'aime les mariages.

Bruno ne manque jamais un mariage. À l'église, il s'assoit toujours dans la dernière rangée, à la première place près de l'allée centrale, pour voir venir la mariée vers lui, comme une offrande dans sa belle robe immaculée.

Il prend la bouteille de vin sur la table et remplit le verre d'Étienne.

— Buvons à la mariée.

Il verse le vin dans le verre de Lorraine en la fixant dans les yeux. Lorraine essaie de rester le plus naturelle possible, le remercie, mais Bruno continue à verser.

— Merci, Bruno.

Bruno verse encore, Lorraine le regarde, le verre déborde, le vin coule sur sa robe, elle recule d'un mouvement brusque, un réflexe qu'elle n'a pu retenir, Bruno s'emporte.

— Tu refuses mon vin !

Il tient la bouteille en l'air, Lorraine rougit, incertaine de l'intention de Bruno, inquiète de ce qui pourrait suivre. Étienne intervient enfin.

— Bruno ! Arrête ! Regarde sa robe !

— Du sang… sur le voile de mariée.

Bruno se penche au-dessus de Lorraine, il essuie le vin avec sa main, se lèche lentement les doigts en la regardant droit dans les yeux.

— Du sang… le voile… la mariée.

Lorraine n'en peut plus, elle implore Étienne du regard, Étienne crie, réprobateur.

— C'est du vin, Bruno !

— La robe… la mariée… souillées.

Étienne se ressaisit, sachant que s'il continue à crier après Bruno, son frère pourrait s'enfiévrer. Il l'a fait tant de fois. Une fièvre intense, suivie de frissons et parfois de délire qui peuvent durer plusieurs heures. Étienne n'a pas envie de veiller son frère toute la nuit, ni de finir à l'urgence de l'hôpital, comme c'est arrivé quelques fois durant l'adolescence. Les années d'absence de Bruno ne semblent avoir rien changé à sa maladie. Comment a-t-il pu survivre par ses propres moyens ? Étienne n'en sait rien. Il tente de calmer son frère.

— C'est rien, Bruno, c'est un accident.

— Un accident !

— Ça va, ça va. Calme-toi… Lorraine, si tu veux te changer, prends une de mes chemises. À droite dans mon garde-robe.

Lorraine monte à l'étage, soulagée de pouvoir s'éloigner de Bruno. Elle prend la première chemise du bord et file s'enfermer dans la salle de bains. Elle se regarde dans le miroir, constate sa déconfiture. Elle s'asperge la figure à l'eau froide, à plusieurs reprises, jusqu'à ce qu'elle sente sa peau rafraîchir. Elle enlève sa robe, la met à tremper dans le lavabo. Si tout est encore un mystère pour elle, elle ne doute plus de la complexité de la situation. Il n'y a pas seulement l'argent de son père qui garde Étienne à la maison. Ni un infantilisme d'éternel étudiant ou d'enfant roi. Lorraine sait désormais qu'elle se trouve au cœur d'une situation qui dure depuis longtemps et que tout le monde tente de dissimuler derrière une apparente normalité.

Étienne a nettoyé le vin par terre, il a déplacé l'assiette de Lorraine de sorte qu'il est assis entre elle et Bruno. Lorraine revient dans la salle à manger, Étienne la regarde dans sa chemise qui lui va à mi-cuisse et la trouve séduisante. Il lui glisse le compliment à l'oreille en l'invitant à se rasseoir près de lui. Elle sourit, un brin de tristesse au coin des lèvres.

— Je crois que je vais partir.

— Non!

Lorraine fige au cri de Bruno. Il s'excuse, insiste pour qu'elle reste, dit que son geste n'était qu'un accident. Lorraine lui sourit nerveusement, un sourire qui ressemble davantage à une grimace d'inquiétude. Elle sait qu'elle ne doit pas le provoquer davantage. Perplexe et déroutée, elle se remet à table. C'est la première fois qu'elle vit une situation semblable : se sentir agressée au point d'en être fragilisée. Elle rage intérieurement de s'être laissé prendre en victime; elle, une femme libre, indépendante que personne n'intimide. Elle ne peut même pas saisir la nature exacte du déséquilibre. Le doute s'immisce dans sa tête. Quel pouvoir a cet homme pour la faire hésiter ainsi?

Étienne apporte le dessert et le café, ce qui semble calmer les esprits. Puis, Bruno se lève de table et va se bercer dans le vivoir. Il ouvre la télévision, baisse complètement le volume et se berce, selon son rythme lent habituel.

Lorraine et Étienne sont restés à table. Elle cherche un sujet de conversation qui pourrait orienter la soirée vers autre chose. Elle ne trouve rien d'autre que le fait qu'elle a ramassé les billets pour la conférence de demain.

— Dommage, les funérailles du curé sont à dix heures.

— Pis?

— Ben, faut y aller.

— Toi? Aux funérailles!

— Je dois représenter la famille. Remplacer mon père, en fait. Question d'honneur... de prestige, plutôt.

— Franchement!

— C'est un village, ici. Tout le monde se connaît. Si j'y vais pas, je vais en entendre parler longtemps. Mon père manquera pas l'occasion de me dire qu'un homme doit prendre ses responsabilités.

— C'est toi qui le sais. J'offrirai ton billet à Sophie.

— Tu m'accompagnes pas?

— C'est pas mon curé, ni ma paroisse.

— Tu pourrais coucher ici, et...

— ... Étienne je suis juste ta blonde, pas ta femme.

— T'es pas juste ma blonde, on est presque fiancés.

— De toute façon, je suis pas habillée pour aller à des funérailles.

Bruno se berce, les yeux rivés à l'écran de télévision. La tragédie s'amplifie, la trame dramatique se complexifie, chacun a son drame personnel, familial. Les journalistes se succèdent à l'écran, le peuple américain est en deuil, les paroissiens de Sainte-Croix aussi. Le trafic aérien est partiellement rétabli. Le ciel reprend son bourdonnement. Georges Bellefleur et sa femme Irène rentreront bientôt au pays.

Lorraine monte vérifier sa robe. La tache de vin est disparue, l'eau est rosée, couleur de sang clair. Quelque chose vient de se briser en elle, comme une fissure dans son intégrité. Elle étend sa robe au-dessus du bain et descend rejoindre Étienne au vivoir. Toujours le même drame à l'écran. Les gens courent dans la rue. Ils sont recouverts de cendres, de la cendre dans les cheveux, dans les yeux, jusque dans les plus petits recoins de leur peau, de leurs vêtements. Ils courent devant les tours qui n'en finissent plus de s'effondrer.

Toute cette désolation ajoute à la grande lassitude de Lorraine. Elle veut rentrer chez elle, mais Étienne ne peut se résoudre à la laisser partir — Bruno est calme maintenant — il la convainc de rester. La soirée tire à sa fin, ils montent tous deux dans la chambre d'Étienne, laissant

Bruno devant le petit écran. Il se berce, les genoux recroquevillés sous le menton.

... et les cendres pour ceux qui restent...

Étienne ronfle, un grondement sourd. Lorraine entend le pas lourd de Bruno dans l'escalier, elle se colle au flanc d'Étienne, et tend l'oreille. L'impassibilité de Bruno durant le reste de la soirée ne la rassure en rien ; quelque chose semble en constante ébullition sous ce calme apparent. Lorraine entend les pas vers la salle de bains. La robe pend au-dessus du bain, Bruno la prend, la porte à son visage et retourne à sa chambre. Il ferme la porte à clé, se couche, la tête enfouie dans la robe mouillée de Lorraine.

Le soleil se lève à nouveau sur l'Occident. Bruno Bellefleur flotte dans la rivière Saint-Jean. Il se laisse descendre dans le courant, les bras étendus, la robe de Lorraine flottant à ses côtés. Étienne l'aperçoit. Il descend la pente en courant et crie à Bruno de sortir de l'eau et de rapporter la robe. Il lui rappelle les funérailles.

— Je déteste les funérailles.

— Reste ici, sapristi !

— Et Lorraine ?

— Avec quelle robe, hein ? Tu peux me le dire ?

— Maman. Une robe de maman.

— T'es complètement cinglé !

— Une robe de maman.

— Lorraine dans la robe d'une femme de cinquante ans !

— La robe de mariée.

— Ça va vraiment pas dans ta tête, toi.

Bruno monte s'enfermer dans sa chambre. Étienne rejoint Lorraine à la cuisine, lui montre sa robe, s'excuse pour son frère. Elle est déconcertée. Si, durant sa nuit insomniaque, elle s'est interrogée, là, devant sa robe dégoulinante, elle constate que son bouleversement était tout à fait justifié. Étienne, penaud, étend la robe sur un dossier de chaise en s'excusant encore une fois.

— C'est pas ta faute.

Il remarque les traits tirés de Lorraine et lui suggère de se recoucher. Il la ramènera en ville après les funérailles. Mais il n'est pas question pour elle de rester seule avec Bruno, ne serait-ce que cinq minutes. Étienne argumente un peu. Il n'a pas le temps d'aller la conduire. Elle suggère de lui prêter sa voiture et de prendre celle de son père. Il insiste, la supplie presque. Elle refuse catégoriquement, veut rentrer à Val-Saint-Jean. À bout d'excuses, Étienne lui lance l'argument ultime.

— Je t'en prie, mets un peu d'eau dans ton vin.

Elle lui secoue sa robe devant la figure.

— De l'eau dans mon vin!...

Étienne se sent ridicule. Il lui tend la clé de sa voiture. Elle la prend sans même le remercier, ramasse sa robe, attrape son sac à main dans l'entrée et sort de la maison. Elle ferme la porte sans entendre les salutations d'Étienne. Il la regarde aller, en queue de chemise et en talons hauts, la tête un peu ébouriffée. Elle monte dans sa voiture et file.

La chorale chante le *Requiem* de Verdi, si cher à Jean Brisebois. Il a toujours aimé cette pièce grandiose. Le cortège du célébrant suit respectueusement le cercueil dans l'allée centrale. Étienne se tient droit, debout comme tout le monde, mais ne se retourne pas pour voir venir le cercueil. Il fixe la nef et préférerait se voir ailleurs. L'odeur de son eau de toilette lui arrive aux narines. Dans la hâte et la contrariété ce matin, aurait-il exagéré la quantité ? Il se gratte le menton, comme chaque fois qu'il se sent embarrassé. Il a l'impression que c'est lui et non le cercueil que les gens regardent, ainsi tournés en biais vers l'arrière de l'église. Une fille lui jette un coup d'œil. Son malaise augmente. Se serait-il parfumé au point d'incommoder les gens ? Il se frotte discrètement le menton, puis le cou pour tenter d'atténuer le parfum. Plus le cortège du célébrant progresse dans l'allée, plus l'odeur d'*Allure* de Chanel s'accentue. Les enfants de chœur défilent, l'odeur s'impose. Bruno avance dans l'allée, accroché au bras de tante Alice, il sert un rictus à Étienne, tout en poursuivant son avancée parmi les représentants du comité paroissial. La senteur s'atténue avec l'éloignement de Bruno. Étienne avale la boule d'amertume qui lui serre la gorge. Le célébrant monte à l'autel, le curé Brisebois repose dans son cercueil, Bruno s'agenouille près de tante Alice. Le prêtre célèbre le sacrifice, il prononce un hommage au curé Brisebois. À la fin de la cérémonie, il invite les paroissiens à venir fraterniser autour d'un goûter au club d'âge d'or. Le cortège suit le cercueil hors de l'église, suivi des paroissiens, des paroissiennes et du souvenir du curé Brisebois.

Étienne se presse vers la voiture, mais il est intercepté par le maire qui l'invite à prendre la parole au nom de son père, pour rendre un dernier hommage au curé Brisebois. Il pense à l'insistance de son père et n'a d'autre choix que d'accepter. Il devra se contraindre d'assister au goûter. La senteur de son eau de toilette s'accentue à mesure que Bruno et Alice approchent de lui. Il tente de s'esquiver, mais Alice le hèle.

— Je te laisse Bruno, faut que je m'occupe du lunch. Après tout, c'est moi la présidente ; ça fait partie de mes tâches.

Ce travail plaît énormément à Alice, elle n'allait pas le déléguer à qui que ce soit. Elle repart d'un pas rapide, arrête, se retourne vers Étienne.

— T'aurais pas une manière de l'éventer un peu ?

La cour de l'église se vide. Dans la salle, Étienne repère deux places non loin des quelques femmes du village qui pourront garder un œil sur Bruno pendant qu'il donnera son petit discours. Alice va et vient autour de la table de service, remplit les assiettes à mesure qu'elles se vident. Étienne apporte de la soupe à Bruno, sachant très bien que c'est la soupe d'Alice et que Bruno en raffole. Il lui prépare aussi une assiette de sandwichs et de dessert. Des jeunes filles passent le thé et le café. La salle est passablement bruyante, les gens discutent, vont et viennent. Étienne espère que le maire lui donnera bientôt le micro afin qu'il puisse faire son devoir au plus vite et rentrer chez lui. Il réfléchit à ce qu'il va dire quand il entend une voix de femme l'interpeller.

— Étienne Bellefleur !

Il lève la tête vers la voix. Il hésite, comme s'il avait une apparition.

— Judith ?... Judith Brisebois !

Il se lève d'un bond pour la serrer dans ses bras, puis retient son élan. Il la prend par les épaules et l'embrasse sur les deux joues, comme une simple connaissance. Pourtant, ses yeux se sont allumés instantanément et son cœur bat à tout rompre, porté par cette joie inattendue de revoir Judith, après toutes ces années. Étienne offre ses condoléances à la nièce du curé Brisebois, puis l'invite à s'asseoir.

— Tu reconnais mon frère Bruno ?

Judith salue Bruno qui ne répond pas. Il prend une cuillerée de soupe. Étienne glisse à l'oreille de la revenante que la condition de Bruno ne s'est jamais améliorée.

Étienne et Judith sont dans leur bulle, s'informent l'un de l'autre. Il frémit en l'entendant lui dire qu'elle est divorcée depuis deux ans. Leur conversation est interrompue par le maire qui prend le micro et invite quelques personnes, dont Étienne, à s'avancer pour prendre la parole. À regret, Étienne se lève, demande à Judith de l'attendre. Son tour arrive. Pendant qu'il parle, il voit la sœur-servante du curé Brisebois près de Judith. Elle se penche, lui chuchote quelque chose à l'oreille et les deux femmes sortent. Étienne continue son laïus, en cachant sa déception. Il n'espérait plus la revoir et voilà que la vie lui fait ce cadeau, pour le lui arracher aussitôt. Il se dépêche de finir, descend de la petite estrade et file directement vers la porte de sortie. Mais Judith et sa tante Clothilde ont déjà disparu. Étienne revient à l'intérieur pour chercher Bruno et le ramener à la maison, mais son frère n'est plus à la table. Étienne balaie la salle du regard, ne le voit nulle part. Madame Bernier passe près de lui et lui dit que son frère est sorti. Étienne ne l'a pourtant pas vu quand il est allé dehors, mais madame Bernier soutient que Bruno est bel et bien sorti il y a de cela plusieurs minutes.

— Je pense que ça serait bon que tu le retrouves assez vite.

Étienne amorce un mouvement de départ, mais madame Bernier le retient.

— C'est la petite Brisebois qu'est avec Clothilde, hein ?

— Oui.

— … Bon, je te laisse aller trouver ton frère.

Le ton de sa voix et le dernier regard de madame Bernier rappellent à Étienne le dernier été que Judith a passé à Sainte-Croix. Tous les garçons lui tournaient autour et un groupe de paroissiennes s'étaient chargées cet été-là de bien protéger la réputation de leur curé. Aucune étrangère, aussi nièce fut-elle, ne viendrait salir ni la paroisse ni son curé respecté de tous. Étienne fait un petit salut de la tête à madame Bernier, puis il sort.

Du regard, il scrute les environs, pas de Bruno, personne en vue sauf les fumeurs sur le perron. L'un d'eux a vu Bruno marcher vers l'église. Étienne se hâte, retourne à l'église. Il voit trois hommes dans le cimetière, affairés à enterrer le curé. Ils ont pris une pause, appuyés sur leur pelle. À son approche, il entend le rire nerveux des hommes. Au centre de ce ricanement, Bruno est en train d'uriner dans la fosse du curé. Cette fois, Étienne ne peut contenir sa rage.

— Tabarnak!

Un des hommes fait ironiquement son signe de croix.

— Là, tu dépasses les bornes!

Étienne agrippe violemment Bruno par un bras et le retourne brusquement, l'urine gicle sur un des travailleurs.

— Woh! Pas sur moi!

— C'est moins drôle que sur la tombe du curé, hein, mon Ernest!

— Ta gueule, Rino.

Étienne constate le dégât sur le pantalon d'Ernest Bélanger, s'excuse, lui dit de faire nettoyer son pantalon et de lui envoyer la facture. Embarrassé au plus haut point, il empoigne le bras de Bruno avec une telle force que celui-ci n'a pas le choix de le suivre. Dans la voiture, il lui commande d'attacher sa ceinture de sécurité et démarre. Il toise son frère. Ils font le chemin en silence. Étienne entre dans la cour, arrête la voiture, ordonne sèchement à Bruno de descendre. Il range la voiture au garage, en fait le tour, vérifie qu'aucune égratignure n'a été faite, referme le garage et entre dans la maison. Il court répondre au téléphone.

— Maman ! Comment ça va ? Où êtes-vous rendus ?… Enfin… Non, non, ça va. On arrive tout juste des funérailles du père Brisebois… Bien… Oui, tu peux lui dire que j'ai pris la parole en son nom… Triste ? surtout sa sœur qui semble un peu prise au dépourvu, mais Judith, tu te souviens de la nièce du père Brisebois… Sa tante semblait contente de l'avoir près d'elle… C'est ça… J'y serai sans faute… Oui, à dix heures… Oui, Maman, je prends la Cadillac… Entendu, t'inquiète pas. Bon voyage, à demain… Bye. Moi aussi, je t'embrasse.

Étienne monte à sa chambre, l'odeur de son eau de toilette lui saisit les narines. Le flacon vide repose ouvert sur le lit, au milieu d'un grand cerne. La bouteille était neuve, il l'avait achetée à Québec quand il a conduit ses parents à l'aéroport, il y a de ça maintenant trois semaines. Étienne enlève son complet, s'étend sur son lit, à bout de nerfs. Le recueil de poésie de Chacal est toujours sur sa table de chevet, il le prend et l'ouvre au hasard.

les eaux de la rivière
s'infiltrent dans les racines
d'une forêt encore vierge

La nervosité l'agite, il tourne plusieurs pages à la fois.

la rivière coulait
dans les veines de la terre
le lac est tari

Étienne feuillette le livre, ouvre les pages ici et là, dans un ordre aléatoire.

comme une silhouette
dans la brume du soir
quand la lune se lève

au printemps prochain
les torrents déborderont
des flocons de décembre

L'odeur forte de parfum l'empêche de se détendre. Il se lève, enfile un jeans et un t-shirt, prend le recueil de poésie et sort de la maison. Il descend jusqu'à la rivière et s'assoit sur la grève. Il regarde le courant filer, pense à Judith. Elle est partie si vite ce matin. Il aimerait la revoir, mais sa présence au presbytère pourrait sembler impertinente. Le curé Brisebois est enterré, mais Judith Brisebois, elle, est vivante. Vivante et libre. Étienne est songeur, ses parents rentrent demain, il ira les chercher à l'aéroport de Québec. Quelques heures de répit sans Bruno. L'avion atterrira à dix heures, Irène s'informera de Bruno, Georges ne dira presque rien. Lundi, Georges retournera à la scierie : son rêve à lui, pas celui d'Étienne. Que faudrait-il pour que son père accepte enfin que son fils ne le remplacera pas ? Irène est la seule qui comprenne les aspirations de son fils, mais elle est impuissante devant les arguments de son mari, à savoir que le salaire d'une infirmière — aussi noble soit le métier — ne viendrait pas à bout de tous les besoins économiques d'une famille. Irène avait été même offusquée la fois que Georges avait ajouté qu'elle a tout le loisir de pratiquer son art puisqu'il fait suffisamment d'argent, mais la situation est tout autre pour Étienne. Profondément blessée, Irène n'est plus jamais revenue sur la question, se contentant d'espérer que son fils sache trouver sa voie. Georges demeure persuadé que la scierie est le meilleur avenir pour son Étienne.

Assis sur la grève, Étienne lit.

marcher en amont
de la rivière
dos à la mer

Dos à ces sciures d'arbres, dos à des ambitions démesurées, face à son rêve à lui. Il s'étend, prend une grande respiration, ferme les yeux pour mieux sentir la chaleur du soleil pénétrer la peau de son visage. Les rayons du soleil, la pensée de Judith, le dernier été passé avec elle. Tous les garçons la trouvaient jolie, mais elle l'avait choisi, lui. C'est avec lui qu'elle partageait les retailles d'hosties que sa tante lui refilait chaque jeudi matin, c'est avec lui qu'elle avait goûté le vin de messe en cachette. C'est encore avec lui qu'elle découvrait le plaisir des premières caresses, l'ivresse du souffle dans ses cheveux denses et ondulants, la douce chaleur de la salive sur ses seins, la joie de se retrouver blottis à deux dans le sous-bois, en aval de la maison Bellefleur, ou derrière la scierie, en cachette du gardien. L'arôme du bran de scie qui se mêlait aux odeurs de gomme de sapin, de fleurs sauvages. C'est avec Étienne que Judith avait connu l'impudeur de ses quinze ans. Et c'est avec elle qu'Étienne avait découvert la poésie de l'été, la liberté, le bonheur. Et vécu son premier grand chagrin. Elle était partie pendant la récolte du maïs chez Bélanger. Il était aux champs, peut-être le seul puceau parmi les travailleurs. Le destin l'avait trahi. Elle était partie, pucelle, elle aussi, il n'avait jamais pu lui dire au revoir. Elle n'a pas écrit, jamais, et lui n'a guère eu l'audace de demander son adresse à sa tante, la sœur-servante du curé Brisebois.

— T'en souviens-tu…

Étienne sursaute. Bruno s'assit près de lui et regarde la rivière.

— T'en souviens-tu... nos petits bateaux, nos voyages... tous les deux... on descendait la rivière, jusqu'à la mer, juste nous deux, on partait à l'aventure.

— Chaque fois, jusqu'au bout du monde.

— Un jour, te souviens-tu, Étienne, on a failli mourir dans le delta.

— C'était en Grèce...

Il sourit à ce rare bon souvenir d'enfance avec Bruno.

— Et on avait pas la moindre idée de ce qu'était un delta. Ni où était la Grèce, mais le mot était porteur de nos rêves.

— Sais-tu même où est le bout de cette rivière, Étienne ?

— On l'aurait peut-être vu à douze ans si t'avais pas coulé notre canot.

— C'était à la brunante, la nuit s'annonçait, sans lune, sans lumière, déjà le tonnerre grondait au loin... le temps pesait si lourd...

Étienne écoute la voix rauque de Bruno. Il revoit la rivière, le ciel noir, l'orage menaçant, la colère brusque de Bruno.

> *... j'étais le tonnerre... j'étais le dieu des éclairs... je dominais la rivière... j'étais le maître des eaux...*

Ce n'était pourtant qu'un jeu. Étienne ne comprenait pas pourquoi Bruno piquait sa rame au fond du canot avec une telle rage. Et la force avec laquelle son pied était passé à travers le canot. Il ressent encore l'angoisse de cet instant, parfois, quand son frère commence ses crises.

Étienne prend soudainement conscience qu'il s'agissait là de la première véritable crise de Bruno, imprévue, inexplicable. Il était subitement muni d'une force gigantesque qu'il ne lui connaissait pas. Les deux adolescents avaient bien failli se noyer dans cet orage. N'eût été l'intervention rapide de deux braconniers, contractants à la scierie, les deux garçons seraient morts noyés. Étienne n'a jamais parlé de cette crise à personne, ni à sa mère, ni à qui que ce soit. L'incident s'était clos avec un bon bouillon chaud.

Cette réminiscence est douloureuse pour Étienne. Il aurait peut-être dû parler à ce moment-là, mais la témérité dont les deux garçons avaient fait preuve malgré les interdictions l'obligeait à se taire, à ne rien dire, non plus, qui puisse trahir cet imaginaire qui le nourrissait encore à douze ans. Et puis, Bruno en avait seize, il n'était plus un enfant. Aujourd'hui, Étienne se dit que s'il avait parlé, peut-être qu'Irène aurait été moins conciliante avec Bruno, qu'elle aurait admis un véritable dérangement psychologique, qu'elle aurait insisté pour que les médecins trouvent un diagnostic. Mais il n'a rien dit.

Les relents de son eau de toilette sur le corps de son frère lui lèvent le cœur. Jamais plus Étienne ne pourra sentir cette odeur sur son propre corps. Il se lève et s'éloigne sur la grève. À la hauteur du remous, en ligne avec le grand pin qui veille sur l'autre rive, il emprunte le sentier qui mène dans la forêt. Les fleurs sauvages sont encore vives tellement l'été s'éternise. Il arrive au sous-bois de pins, lieu privilégié depuis son adolescence. La mousse y est épaisse et moelleuse, il s'étend, ferme les yeux et écoute le chant des oiseaux et la brise dans les conifères. Il perçoit à peine le ruissellement de la cascade, un peu plus loin, là où il avait prévu amener Judith un certain soir de récolte. Mais elle était partie pendant qu'il était encore aux champs. Étienne sent quelque chose d'humide sur sa joue. Il se redresse dans un sursaut. Le gros chien noir du curé Brisebois halète devant lui et le rire de Judith emplit le sous-bois. Elle s'assoit près de lui.

— Je voulais pas qu'on se quitte comme la dernière fois, sans au revoir.

Étienne sourit, un brin de regret sur les lèvres. Elle savait où le trouver. Elle se rappelle, elle aussi. Il avait tant désiré ce moment, puis avec les mois, les années, il en était venu à se résigner, c'était un amour d'adolescence, un amour avorté.

— Mon père avait exigé que je fasse la récolte de maïs chez Bélanger.

— L'idée venait de ma tante.

— Sérieuse ?

— Elle a pas eu grand choix, une horde de paroissiennes bien pensantes avaient envahi le presbytère, Lyzé Thibault en tête.

Étienne imagine la scène et ne peut retenir un ricanement.

— Pourquoi t'es jamais revenue ?

— Interdit…

Elle caresse les longs poils du chien.

— … mais mon oncle et ma tante venaient me voir à Montréal chaque été.

— J'ai attendu longtemps pour une lettre de toi, une carte postale…

— Je t'ai écrit plusieurs fois, c'est toi qui as jamais répondu.

Déconcerté, Étienne ne comprend plus rien… De toute façon, quelle importance aujourd'hui puisqu'elle repart demain pour Montréal. Et lui… il y a Lorraine maintenant. Le chien se lève, se secoue et s'éloigne. Judith l'appelle.

— Chester. Viens, viens, mon chien.

Le chien fait fi de Judith et s'engage dans le sentier. Judith part à sa suite en marchant. Étienne regarde la robe légère onduler au rythme des balancements de hanches, il se lève et la suit, les yeux rivés sur les mouvements délicats du vêtement. Il devine les formes à travers le tissu vert mousse, se prend à imaginer quelle serait leur vie si elle était restée à Sainte-Croix cet été-là et avait continué de revenir chaque été comme elle l'avait fait les années précédentes. Il se rapproche d'elle, lui prend la main, comme il aurait fait ce soir-là si elle n'était pas retournée chez elle. Judith continue sa marche, elle aime sentir la main d'Étienne dans la sienne. Le son de la cascade s'amplifie à mesure qu'ils progressent dans le sentier. Le chien sent l'eau à proximité, part au pas de course et se lance dans le petit lac au pied de la chute. Judith et Étienne le rejoignent. L'eau est peu profonde aux abords du petit lac, ils enlèvent leurs sandales, Étienne roule les jambes de son jeans jusqu'aux genoux, Judith retrousse le bas de sa robe. L'eau est fraîche et le soleil, encore chaud. Le chien s'excite de voir ses compagnons avec lui dans l'eau. Il court, éclabousse partout, aspergeant au passage Judith qui rit aux éclats. Étienne sourit d'aise en la regardant s'amuser comme une enfant. Il sent une érection s'amorcer. Il se retourne pour essayer de la réprimer, mais un cri de Judith le saisit. Chester vient de la faire basculer dans l'eau, elle est toute trempée. Elle se relève en riant, la robe mouillée révèle toutes ses courbes, Étienne est subjugué. Elle rit : autant se baigner. Il est gêné et ne veut surtout pas mouiller son jeans. Il se contente de sourire. Mais Judith continue de l'inviter et devant sa réticence, elle siffle le chien.

— Chester, va chercher Étienne. Va, Chester, va.

Le chien ne demande que ça. Il saute sur Étienne qui résiste tant qu'il peut, puis s'abandonne finalement et échoue dans l'eau. Il s'approche de Judith en riant, la tire vers lui. Il lui prend la tête dans ses deux mains et l'embrasse. Il sait que derrière le rideau de la cascade, l'eau lui va à peine plus haut que la taille. Il y entraîne Judith. Le chien ne les voit plus et commence à japper.

— Chester, tais-toi. Assis.

Le chien cesse de japper.

— Bon chien.

Étienne colle Judith contre lui et l'embrasse sans retenue. Enfin ! la goûter sans que personne ne vienne s'interposer. Chester sort du petit lac, se secoue et se couche dans le sentier. Un bruit sec attire son attention, il redresse la tête, voit des feuilles bouger et part à la course vers le buisson où se cache ce qu'il croit être un animal. Étienne et Judith se caressent, s'enlacent, le bas de la robe de Judith flotte en nénuphar derrière elle. Étienne se laisse descendre dans l'eau jusqu'au cou, entraîne Judith et lui enlève sa robe. Le rideau de la cascade les garde dans l'ombre. Étienne goûte chaque centimètre de la peau de Judith. Elle laisse échapper de grandes respirations, comme le soulagement d'une tension retenue depuis trop longtemps. Chester renifle autour des buissons. Il gronde, le buisson s'agite, il gronde de nouveau. Étienne descend son pantalon, soulève Judith par les fesses, la rapproche de lui et la pénètre, lentement d'abord. Happé par le désir, Étienne ne se retient plus. La cadence de ses hanches s'accélère. Judith se cambre le dos pour mieux recevoir en elle la pleine longueur de ce bonheur. Chester se débat dans les broussailles, il jappe. Mais les aboiements du chien sont affaiblis par le bruit de la chute. La cascade atténue les gémissements des amants. Étienne jouit de Judith comme d'aucune autre femme auparavant. La cascade absorbe dans ses eaux l'orgasme libérateur et le cri de délivrance qui l'accompagne. Chester est projeté hors du buisson et s'abat dans le sentier. Sa plainte reste sans réponse. Soudés l'un à l'autre, les amants respirent profondément. Chester gémit, reluque du côté des buissons, craintif. Jamais une bête n'a eu raison de lui. Peut-être s'est-il attaqué à trop gros ? Ou trop méchant ? Le chien est-il davantage humilié que blessé physiquement ? Un long hurlement résonne dans la forêt. Puis, plus rien que le bruissement du vent dans la cime des arbres. Les amants desserrent leur étreinte, Étienne s'immerge complètement dans l'eau, se frotte la figure et remonte à la surface. Il prend Judith dans ses bras et la serre encore contre lui.

— Je t'aime tant.

Les amants, assouvis, se rhabillent, tant bien que mal dans leurs vêtements mouillés. Un dernier baiser, un coup de brasse pour traverser la chute et ils reprennent pied du côté jour du petit lac. Judith appelle Chester. Elle entend le gémissement de la bête. Elle s'inquiète, appelle à nouveau, mais Chester ne vient pas. Elle écoute attentivement.

— C'est par là.

Ils marchent vers le son plaintif et retrouvent Chester étendu en travers du sentier. Judith constate que le chien a une patte brisée, il ne peut pas marcher, il faudra le porter. Judith parle doucement à Chester, tente de le soulever, mais la bête pousse un long gémissement. Et puis, ce chien est trop lourd pour elle. Étienne essaie à son tour, le soulève de peine et de misère et réussit à se relever.

— Ça va aller ?

— Faisons un bout, on verra.

Ils prennent le chemin du retour, mal à l'aise dans leurs vêtements mouillés, mais le cœur léger. Ils passent devant la cascade, se regardent en souriant d'un air complice, traversent le sous-bois de pins. Enfin la rivière ! Étienne dépose Chester à l'ombre, juste à la sortie du sentier. Au moyen de feuilles étendues au creux des mains, Judith et

Étienne se font chacun une écuelle pour lui donner à boire. Puis ils s'étendent au soleil sur la grève pour se reposer. Le soleil de fin d'après-midi est encore chaud, les rayons obliques se reflètent en diamants dans le courant de la rivière limpide, l'air ambiant sent déjà la fraîcheur de l'automne. Moment privilégié, instant de grâce, comme un cadeau de la nature.

— Étienne… on est encore jeunes…

Étienne sursaute hors de sa somnolence.

— Ouf! Je crois que j'étais en train de m'endormir. Qu'est-ce que tu disais?

— Ma tante va s'inquiéter.

— On y va.

Ils reprennent le chemin du retour en silence. Judith n'est pas allée au bout de sa pensée. Si Étienne a les mêmes vues qu'elle, il saura bien prendre l'initiative. Ils arrivent enfin au pied de la pente de la maison Bellefleur.

Étienne dépose le chien sur le perron, lui apporte de l'eau. Il s'excuse et monte à sa chambre. Dès qu'il ouvre la porte, l'odeur de parfum lui monte au nez. Le flacon est encore sur le lit au centre du grand cerne. Étienne le jette au panier. Il entend le chien japper, change rapidement de vêtements et sort sur le perron. Le chien jappe de plus en plus fort à mesure que Bruno remonte la pente de la rivière vers la maison. Judith essaie de le calmer, il s'agit de Bruno, il n'y a pas de danger. Bruno monte le perron en ignorant le chien tremblant. Il salue Judith et Étienne, il enlève nonchalamment une feuille de bouleau restée accrochée à l'épaule de sa chemise, la laisse tomber à l'air libre et rentre dans la maison.

Il faut s'occuper de Chester. Étienne se rappelle que sa voiture est chez Lorraine. Impossible de faire monter Chester dans la voiture de son père, s'il fallait qu'il trouve un seul poil de chien, ça serait épouvantable. Et de toute façon, il ne peut pas conduire deux voitures pour revenir de la ville. Comment expliquer à Lorraine que le chien de Judith a besoin d'aller en ville ? Inventer une histoire et faire mine de rien… Mais Étienne pourra-t-il faire mine de rien ? Il a les émotions à fleur de peau et les joues encore roses de jouissance. Ils prendront la voiture de l'oncle-curé.

La Cadillac noire sort du village. Judith surveille le chien en jetant de temps en temps un œil dans le rétroviseur. Étienne regarde droit devant lui, songeur. Une lourdeur lui traverse le dos, entre les omoplates. Il bouge un peu les épaules pour s'assouplir. Judith se concentre sur sa conduite, elle n'a pas l'habitude de ces grosses voitures, mais Chester ne pouvait monter dans la sienne, trop petite et à deux portes. Étienne la sent soucieuse. La magie de l'après-midi semble s'être estompée.

— Je comprends pas, dit-il après un long silence, que quelques femmes de la paroisse aient pu avoir autant d'influence. Savaient-elles que ton oncle…

Il se tait. Il ne peut pas continuer ; Judith sait très bien ce qu'il allait dire. Elle laisse échapper un long soupir d'impuissance.

— Ton père était l'édile de Sainte-Croix et mon oncle, le curé.

— Mais on était si jeunes ; c'était normal.

— Pas dans notre cas, semble-t-il.

Chester a effectivement une patte cassée. Le vétérinaire le garde pour la nuit. Étienne et Judith sortent de la clinique et marchent à la voiture. C'est le moment de la séparation. Il lui donne un baiser sur la joue.

— Merci pour le fabuleux après-midi.

— Monte, je vais te déposer à ta voiture.

— Merci, c'est pas la peine, c'est juste à deux coins de rue.

Judith s'approche très près de lui.

— J'ai faim, moi. Tu veux qu'on mange ensemble?

Étienne doit trouver une excuse et vite. Lui non plus n'a pas mangé, mais il n'a pas faim. Et Bruno? Il sait très bien que s'il a faim, il va téléphoner à tante Alice et même s'il lui avait laissé à manger, il n'y aurait pas touché. C'est sa façon d'attirer l'attention depuis le départ de ses parents. Néanmoins, il le choisit comme excuse.

— Et je dois être à l'aéroport de Québec demain matin à dix heures.

Judith hésite un moment, elle aurait tellement envie de rester avec lui, de dormir avec lui toute la nuit. Comment se fait-il que brusquement il ait mis cette distance entre eux?

— Ta voiture? Elle est chez ta blonde?

Il ricane d'un petit rire nerveux. Qu'est-ce qu'elle va chercher là? Sa voiture est chez une collègue qu'il a dépannée cette semaine. Étienne joue le tout pour le tout et invite Judith à l'accompagner chez sa *collègue*, quoiqu'il restera peut-être un moment pour discuter des cours qu'il a manqués durant la journée.

— Je te laisse à tes affaires.

Depuis son divorce, Judith est très prudente avec les hommes, elle ne veut surtout pas provoquer d'impatience chez eux. Elle se lève sur le bout des pieds, lui donne un rapide baiser sur les lèvres.

— C'était super de te revoir.

Étienne la regarde quitter le stationnement, en retenant sa respiration. Il lui envoie un signe de la main, elle lui répond et file. Long soupir de relâchement. Il marche vers l'appartement de Lorraine; il a une demi-heure pour se refaire une contenance. Il marche, les mains dans les poches. La barre qu'il a ressentie dans le dos commence à brûler. Aurait-il présumé de ses forces en portant ce gros chien sur trois kilomètres ? Il tourne en rond dans la ville. Sa rencontre avec Judith était-elle une erreur ? Pourtant, cet après-midi, il était tout à fait sincère. Il a de la difficulté à se l'avouer, mais il n'a même pas pensé à Lorraine, pas avant d'avoir besoin de sa voiture. Son bonheur était si grand, pourquoi lui faudrait-il payer ? Il refuse de se sentir coupable. Judith retournera à Montréal, il ira chercher ses parents, il reprendra l'université. Maudit droit, maudite administration. Pourquoi n'écoute-t-il pas ses passions ? Depuis un certain temps, il sent qu'il se trahit lui-même davantage que quiconque. Il pourrait aller étudier à l'Université de Montréal ou à l'UQAM. Débarrassé de la scierie. Et de Bruno. Retrouver le bonheur avec Judith. Mais lui, Étienne, sait qu'il n'a pas d'argent. À vingt-neuf ans, il est un éternel étudiant, retardant, tant qu'il peut, son entrée à la direction de l'usine de son père. Georges n'accepterait sûrement pas de lui payer, par surcroît, un appartement à Montréal. La vie a ses obligations et l'homme, ses devoirs. Cette phrase pèse lourd dans son existence. Il aura trente ans l'été prochain, terminera son baccalauréat en droit. Et là, il n'aura pas le choix de faire face à sa vie d'adulte. Georges n'attendra pas plus longtemps.

Il fait entre chien et loup quand Étienne sonne enfin à la porte de Lorraine.

— Je commençais à m'inquiéter.

Il l'embrasse.

— J'ai dû accompagner la nièce du curé chez le vétérinaire.

— Bruno te cherche.

— Lui, il peut crever.

— Dure journée ?

— Il m'en a fait voir de toutes les couleurs.

— Tu veux une bière ?

— Volontiers.

Lorraine apporte une bière à Étienne, il boit la moitié de la bouteille en une seule gorgée.

— Prends ton temps, personne va te la voler.

— Excuse-moi, c'est pas des manières.

Il continue à boire plus lentement. Faire allusion à la nièce du curé, l'air détaché, sans la nommer, lui donnait la contenance nécessaire pour faire face à Lorraine. Personne ne saura jamais ce qui s'est passé derrière la cascade, dans la forêt de son adolescence et de ses rêveries de poète inavoué. Lorraine voit bien qu'il a l'esprit ailleurs ; elle tente d'attirer son attention.

— La conférence était très prenante, ce matin.

S'il fait semblant de s'intéresser à ces propos sur l'écologie, elle voit bien qu'il n'y est pas du tout. Il l'écoute poliment, mais ne réussit pas à cacher sa distraction. Après un bout de temps, elle se lasse et s'impatiente un peu.

— Les funérailles du curé Brisebois étaient sûrement plus passionnantes que la survie de la planète.

— Excuse-moi, je suis distrait.

Étienne a fait ce qu'il avait à faire. Le dos lui brûle de plus en plus. Tout ce qu'il veut, c'est rentrer chez lui, se coucher et dormir. Et peut-être rêver à Judith. Prolonger les délices du jour. Avant la sortie du petit lac. Quand il ne pensait à rien sauf à cette femme qu'il savourait de tous ses sens.

— Tu veux dormir ici ?

La question le surprend.

— C'est pas l'envie qui manque, ma belle. Mais je dois être à Québec à dix heures demain matin. Mes parents reviennent.

— Tu dois être content.

— Ouais. Ça va me soulager de Bruno.

Il termine sa bière, embrasse Lorraine. Il reprend sa clé de voiture, lui promet de lui téléphoner demain dès son retour et file. Tout s'est bien passé, finalement, s'il en juge d'après l'attitude de Lorraine qui semble avoir gobé ses explications. Il prend la route de Sainte-Croix. Son dos brûle, la faim le tenaille, il voudrait juste dormir et oublier cette journée. Tout oublier, sauf Judith. En entrant dans le village, l'odeur de bran de scie arrive par la fenêtre ouverte. Cette merveilleuse odeur de bois, il la respire comme un souvenir d'enfance quand il se cachait derrière les cages de planches. Il entre dans la maison, monte directement à l'étage. Un filet de lumière traverse sous la porte de Bruno. Il frappe, lui demande s'il a faim.

— Tante Alice est venue.

Étienne tourne les talons et se rend directement à sa chambre. Il plisse les narines avant d'ouvrir la porte, appréhendant l'odeur, mais il s'étonne que ça sente bon, le lit est propre, il entend la voix râpeuse de Bruno.

— Tante Alice a tout lavé.

Étienne aperçoit son recueil de poésie en train de sécher sur sa table de nuit. Il le saisit, se rappelle qu'il l'avait apporté dans le sous-bois, mais l'a oublié par la suite. Bruno l'a trouvé dans l'eau, c'est évident qu'il les a épiés. La feuille séchée sur son épaule, son amabilité sournoise à son retour… Cela n'augure rien de bon. Étienne se laisse choir, tout habillé, sur son lit. Complètement épuisé, il ne veut plus penser à rien. Il coule lentement vers le sommeil.

Judith se faufile sous la clôture de la scierie, Étienne remet le grillage en place, se redresse, c'est Lorraine qui est là, elle le prend par la main. Ils courent derrière les cages de planches, se bécotent, se roulent, se chatouillent. Elle rit, c'est le rire de Judith. Un chien aboie, ils se relèvent, secouent le bran de scie sur leurs vêtements, partent en courant et en rigolant, le chien les attend à la sortie du passage secret, et à la place de sa propre tête, l'animal a la tête de Bruno. Il lui saute dessus, Étienne tombe à la renverse, le dos lui fait mal. Une odeur de brûlé emplit l'air. La chemise d'Étienne prend feu, le dos lui brûle tellement.

Il se réveille en sursaut, il entend une sonnerie de téléphone. Il lui faut trois sonneries pour se rendre compte qu'il ne rêve plus. Il se hâte au rez-de-chaussée et répond.

— La scierie est en feu!

Il se précipite dehors, la fumée se répand sur le village. Il monte dans sa voiture et file vers la scierie. Les pompiers sont déjà sur les lieux, un agent de police détourne la circulation vers le rang de l'église. Étienne stationne, descend et se fraie un chemin parmi les curieux. Presque tout le village est là. Il franchit le cordon de sécurité, court jusqu'aux camions rouges, cherche le chef pompier. Il s'informe si quelqu'un a été blessé, si les employés ont tous évacué les lieux.

— Nous cherchons encore le superviseur.

Étienne esquisse un mouvement vers le bâtiment, mais le chef pompier le retient.

— Laisse faire ceux qui connaissent la job.

Étienne reconnaît son imprudence. Il reste sur place, impuissant, nerveux. Comme irréelle, une ombre sort de la fumée. Rodney Jessop apparaît, court en toussant. Étienne lui crie et suit le chef pompier à la rencontre du rescapé.

— Monsieur Jessop!

Le pompier s'informe s'il y a quelqu'un d'autre dans le bâtiment.

— Sacrament de moulin!

Étienne insiste pour savoir s'il reste quelqu'un dans le bâtiment. S'il y a des blessés.

— Je suis le dernier.

— Y a-t-il des blessés, Monsieur Jessop?

— Le petit sacrament!

— Qui?...

— Le jeune à Caron. Ç'a pas la tête frette pour deux cents, sacrament.

Selon le chef pompier, c'est l'employé qu'on vient d'amener en ambulance.

— Monsieur Jessop, est-ce que je peux vous aider?

— De l'eau, sacrament!

Rodney tousse, une quinte à n'en plus finir, Étienne cherche autour de lui, ne voit rien, Rodney n'arrête pas de tousser. Puis Étienne aperçoit une bouteille d'eau qui traîne par terre. Il la ramasse.

— C'est pas très hygiénique, mais c'est mieux que rien.

Rodney lui arrache la bouteille des mains, il se fiche de l'hygiène en ce moment, il boit l'eau à grands traits, sa toux se calme.

— Je suis rendu trop vieux pour des affaires de même.

Deux ambulanciers s'approchent avec une civière, mais Rodney Jessop refuse de se coucher là-dessus. Le chef des pompiers insiste. Il a été incommodé par la fumée et il... Rodney l'interrompt.

— J'ai fumé toute ma vie. C'est pas un peu de boucane qui va me tuer!

Peut-être, mais le vieil entêté est secoué par une quinte de toux. Il ne peut plus s'arrêter, il s'évanouit. Les ambulanciers le couchent sur la civière, lui appliquent un masque d'oxygène et l'emmènent. Étienne est au comble de l'énervement. Il regarde les ambulanciers s'éloigner et imagine le pire. Le chef pompier lui dit qu'il ferait mieux d'aller avertir la femme de cet employé. Il obéit et part en jetant un dernier coup d'œil au brûleur en flammes.

Étienne monte dans le rang de l'église. Comment annoncer cette nouvelle à madame Jessop ? Il n'a pas l'habitude, il n'en a pas le goût, surtout. Il y a seulement quelques heures, la vie était si généreuse. Pourquoi tout se gâche-t-il depuis que le soleil descend ? Étienne passe devant le presbytère, il y a encore de la lumière à l'étage. Mais il a une mission en ce moment et son père n'accepterait pas qu'il déroge aux obligations commandées par les événements. Il fera ce qu'il faut. Il arrive enfin chez les Jessop. Il annonce la nouvelle, en ménageant autant qu'il peut l'épouse de l'homme de confiance de son père, mais celle-ci reste de glace, n'a aucune empathie pour ce fils de riche élevé dans la ouate qui n'a pas la moindre idée des efforts de son mari. Elle est à peine polie en lui souhaitant bonne nuit.

Hésitant, Étienne se rend chez les Caron. Il éprouve un soulagement quand il voit la maison dans le noir. Ils sont probablement déjà au chevet de leur fils. Il rebrousse chemin et retourne à la scierie. Tout est maintenant maîtrisé. Ç'aurait été catastrophique si le vent s'en était mêlé. Heureusement, la forêt est épargnée. Mais pour Étienne Bellefleur, de voir le brûleur — le champignon magique de son enfance — ainsi rasé lui donne un coup de nostalgie qu'il n'aurait jamais soupçonné. Lui qui a fait deux baccalauréats et une maîtrise pour retarder son entrée à la scierie et son éventuelle prise en charge de toute l'entreprise, il se surprend cette nuit à aimer cette usine. Il pense aux hommes qui ont mis leur vie en danger pour sauver le bien de la famille Bellefleur et se trouve bien moche de lever le nez sur ce qui l'a nourri toute sa vie. Il sent une main dans son dos, directement à l'endroit où ça lui brûle de plus en plus depuis la fin du jour.

— Je suis vraiment désolée.

Il se retourne, Judith est là. Elle s'excuse presque de le déranger, ne veut pas s'imposer, mais seulement lui dire que s'il a besoin de quoi que ce soit... Étienne sent toute l'affection de Judith dans sa voix, même si ces paroles sont empreintes de retenue. Sa seule présence l'attendrit en même temps qu'elle lui donne un vilain coup de culpabilité.

— On dirait que la vie veut me faire payer le trop court instant de bonheur avec toi.

— Dis pas ça.

Le chef pompier s'approche et l'incite à rentrer. Il n'y a rien qu'il puisse faire de plus. Quelques pompiers resteront sur place pour s'assurer que tout est éteint.

— Mon père revient demain après-midi.

Étienne remercie le chef pompier et quitte les lieux avec Judith. Ils franchissent le cordon de sécurité et montent le rang de l'église jusqu'à la voiture de Judith. Elle ouvre sa portière et l'invite à le suivre jusqu'au presbytère. Il décline l'invitation. Pourtant, quand il monte dans sa propre voiture, au lieu de faire demi-tour, il la suit. Elle l'invite à entrer, mais il doit partir pour Québec dans quelques heures. Ils marchent un peu dans la nuit, contournent le presbytère et se retrouvent dans le jardin parmi les fleurs automnales. Ils s'assoient sous un gros chêne, en silence. Étienne la prend dans ses bras, la serre contre lui. Il voudrait éterniser le souvenir de cette sensation, ne plus jamais se séparer d'elle. Il l'embrasse. Tous deux se laissent emporter dans un jeu de caresses, ils se goûtent, s'enivrent du parfum de l'autre. Dans l'ombre des chênes, derrière le presbytère, les deux amants oublient les douleurs, les remords, les devoirs. Ils n'obéissent qu'à leur passion.

L'aube vient de se lever quand Étienne rentre chez lui. Il prend une douche rapide et monte dans la Cadillac de Georges, il achète deux cafés bien forts au comptoir auto et prend la route pour Québec. Parfois il jette un œil dans le rétroviseur, le soleil se lève derrière lui. Il a l'impression de rouler vers son destin, comme si le retour de son père ramenait en même temps tout son lot d'obligations et d'abnégations de sa propre vie. Pourtant, ce père doit l'aimer : il ne lui a jamais manifesté quelque mépris que ce soit, il a même parfois encore des gestes d'affection pour lui. Étienne se rappelle sa joie de l'accompagner au travail quand il était enfant, ses jeux dans le bran de scie frais qui le chatouillait sous ses vêtements, qui se répandait sur la céramique quand il se déshabillait pour prendre son bain. C'était la joie à l'état pur, le bien-être d'un enfant aimé, heureux. L'incendie, la nuit dernière, lui a ravi son enfance. La cascade, hier après-midi, a mis un terme à son adolescence, son passé s'est envolé avec la fumée grise. Il ne reste plus que le présent, éclairé par le jour qui se lève derrière lui. S'il pouvait seulement convaincre son père de se trouver un autre successeur et de le laisser lui, son fils, voler de ses propres ambitions. Sa douleur dans le dos s'impose, plus brûlante encore. Il l'avait presque oubliée cette nuit en se roulant sous les chênes, entre les jambes de Judith.

Étienne s'engage sur l'autoroute 20. Les doubles voies lui permettent d'accélérer. Il roule à 120 kilomètres à l'heure. Pourtant, il voudrait tant retarder ce moment où il devra annoncer à son père que sa scierie a brûlé. Et si l'incendie lui donnait, à lui, Étienne, sa porte de sortie ? Mais pour aller où ? Étudier encore ? À presque trente ans, il est grand temps qu'il se prenne en main. Il en est conscient. Il se voit ainsi rouler dos au soleil et se dit que sa jeunesse insouciante est derrière lui, qu'il doit prendre une décision d'ici son prochain anniversaire. En essayant de berner son père, il s'est lui-même mis dans une situation où il se coince de plus en plus dans une voie sans retour.

Il est content de revoir ses parents. Au sortir de l'aéroport, ils s'arrêtent pour un café. Étienne tente de diriger la conversation, fait parler ses parents de leur voyage. Irène a adoré, d'autant plus que son mari a su oublier le travail, sauf une ou deux fois où il n'a pu s'empêcher de téléphoner à l'usine. Étienne dévie la conversation sur les événements de New York. Mais Irène la ramène sur Sainte-Croix, Bruno, les funérailles du curé Brisebois. Eh oui, Étienne a bien rempli son devoir, en digne fils de son père. Il tait le comportement de Bruno sur la tombe du curé et tout le reste de la journée. À moins que les fossoyeurs ou tante Alice parlent, Georges et Irène ne sauront rien de tout cela. Étienne va couvrir son frère comme il l'a toujours fait depuis leur enfance et Irène continuera de croire que son fils est bien portant.

Georges prend le volant, Étienne s'installe derrière. Enfin, il pourra fermer l'œil un peu. Il se laisse engourdir par le roulis de la voiture, la tête appuyée sur le dossier. Malgré le sommeil, il garde les yeux ouverts, comme quand il était enfant et qu'il pouvait regarder le ciel à l'envers et en rire, compter les étoiles avec Bruno quand ils revenaient tard d'une sortie en famille. Quand son enfance a-t-elle cessé d'être amusante pour lui ? Il ferme les yeux et cherche dans les coins sombres de sa mémoire le moment qui a changé la trajectoire du bonheur. C'était bien avant l'incident du canot dans la tempête.

Étienne laisse son esprit voguer dans les souvenirs. Il se voit enfant, jouant à la scierie. Le terrain de jeu de son enfance a progressivement revêtu l'odieux d'une prison, le champignon de métal n'est plus ce lieu magique qui avalait les copeaux pour en faire des étoiles rouges et brillantes. Le champignon magique a perdu toute sa poésie.

La voix de Georges, en conversation avec Irène, s'infiltre dans le rêve d'Étienne. Il entend son père lui parler de justice et de responsabilité. Il venait tout juste d'avoir vingt ans. Il étudiait en littérature, mais son père voyait plutôt son fils prendre la relève. Il ne pouvait avoir confiance en Bruno dont le comportement était imprévisible. En affaires, il faut du solide.

— Bruno est fou, soit ! Et moi… moi, j'étudie en littérature !

Il y avait eu un long silence. Pénible. Étienne voyait une douleur dans les yeux de son père. Parce qu'il avait traité son aîné de fou ou parce qu'il refusait de marcher dans ses pas ? Il n'en savait rien, mais il sentait un désespoir hanter ce silence. Georges s'était enfoui le visage dans les mains, et l'immense chagrin caché dans ce geste n'avait pas échappé à Étienne. Son père était resté comme ça, immobile, pendant plusieurs minutes. Étienne avait l'impression que le temps s'était arrêté. Il attendait, inquiet, il n'osait pas sortir de la pièce, il avait presque peur, il sentait que ce moment était un moment décisif de sa vie. Il n'a jamais oublié l'instant où son père a découvert son visage. Il l'a regardé avec toute la tendresse d'un père, et d'une voix sourde et déterminée lui avait dit : « Il faut s'occuper de la source si on veut boire toute sa vie. Et ta source, Étienne, ce sont mes terres, mes forêts, ma scierie. Soit tu te prépares à prendre ma relève, soit tu abandonnes ta source à quelqu'un d'autre. Réfléchis bien, mon garçon. » L'ultimatum était précis, aucun doute possible. À l'automne, Étienne s'était inscrit au baccalauréat en administration des affaires. Au bout de trois ans, il avait convaincu son père qu'il lui fallait une maîtrise et après celle-ci qu'il devait faire des études en droit afin d'être plus ferré pour mener à bien cette entreprise. Pour Georges qui n'avait même pas terminé un cours secondaire, il lui semblait exagéré que son fils ait besoin d'autant d'études pour gérer une scierie. Il s'était dit qu'il abandonnerait le droit avant la fin. Mais voilà qu'aujourd'hui, Étienne en est à sa dernière année, il a presque trente ans et ne connaît encore rien de la gestion pratique de la scierie. Il y a travaillé deux ou trois étés, pas plus.

La scierie. Étienne pourrait faire semblant de découvrir le désastre en même temps que son père. Il serait ainsi épargné d'avoir à lui annoncer la ruine de son entreprise. En même temps, il craint sa réaction : si le choc lui était fatal ? Non, Georges Bellefleur n'est pas homme à se laisser abattre. Étienne a trop entendu d'histoires où son père avait surmonté des épreuves. Et lui revient, comme un mantra, sa théorie de la correspondance des êtres qui veut que deux personnes se soudent l'une à l'autre, tout en conservant sa liberté. Selon Georges, cette correspondance est le fondement même de toute justice. Il lui avait un jour parlé de ce lien privilégié et rare entre lui et Rodney Jessop. Comment, au fil des événements, ils étaient devenus des alliés, comment la vie avait forgé leur lien.

Étienne ouvre les yeux, redresse la tête, un violent torticolis lui tire une plainte. Il se penche vers l'avant et bloque quand la douleur qu'il a dans le dos depuis hier lui coupe la respiration. Il lève les yeux et voit filer l'enseigne de *Bienvenue au Nouveau-Brunswick*.

— Papa, veux-tu arrêter une minute ?

— On arrive.

— Arrête, c'est urgent.

Georges entre dans la cour d'une station-service, gare la voiture devant une pompe. Aussi bien faire le plein. Étienne descend, fait le tour vers la pompe, mais Georges l'a devancé. Il regarde l'air déconfit de son fils.

— Es-tu malade ?

— Non.

— Pourquoi tu m'as fait arrêter ?

— Faut que je te parle.

— Je peux écouter en roulant.

Georges entre payer la facture, Étienne s'installe à la place du chauffeur. Son père ne doit pas conduire quand il entendra la nouvelle. Mais Georges le fait déplacer et reprend le volant. Il accélère jusqu'à la vitesse de croisière, jette un œil à son fils par le rétroviseur.

— Qu'est-ce que tu voulais tant me dire ?

Étienne garde le silence, Georges insiste, le presse.

— Tu as dit que c'était urgent. Qu'est-ce qu'il y a ?

— Je pense que je devrais conduire.

Son père lui jette un œil sévère, il commence à s'impatienter. Irène se tourne vers Étienne, elle lit l'inquiétude dans le visage de son fils, le presse de parler.

— Porte attention à la route, papa.

— Étienne !

— Il est arrivé quelque chose de grave cette nuit.

Il tente du mieux qu'il peut de préparer son père à recevoir le choc. Georges s'impatiente, il double une voiture. Étienne lui fait remarquer qu'il a dépassé sur une ligne pleine et le prie d'être prudent. Georges sent la chaleur lui monter au visage. Il se gare sur le côté de la route, se tourne carrément vers Étienne qui voit la colère dessiner chaque trait du visage de son père. Il n'attendra pas plus longtemps.

— La scierie…

— Quoi, la scierie ?

— La scierie a brûlé cette nuit.

Georges se retourne, fixe la route, embraye la voiture et démarre à une vitesse folle, faisant voler cailloux et poussière derrière lui. Irène s'agrippe au siège. Il double un camion lourd. Elle n'en peut plus, elle crie.

— Ralentis ! Tu vas nous tuer ! Et ça te redonnera pas tes bardeaux !

Irène a le don des remarques sarcastiques quand elle est énervée. Tout n'est pas perdu, ils ont sauvé l'édifice à bureaux, Rodney Jessop… Étienne se tait. Georges ralentit, il roule même en deçà de la limite de vitesse, il garde le silence pendant une bonne demi-heure : Étienne a prononcé le nom de Rodney et s'est tu. S'il n'a pas continué, c'est qu'il est arrivé quelque chose de grave à son homme de confiance, son vieil ami, celui avec qui il peut partager tout ce qu'il ne peut dire ni à sa femme ni à ses enfants. Qu'est-il arrivé à Rodney ? blessé ? mort ? handicapé ? Tant que Georges ne pose pas la question, il peut espérer, mais dès qu'Étienne lui aura dit la vérité, il n'y aura plus de retour possible. Georges sent d'un coup le poids de la soixantaine lui peser comme s'il portait tout un siècle sur le dos.

— Rodney ?… Étienne, dis-moi qu'il est rien arrivé à Rodney Jessop.

— Il a été incommodé par la fumée, mais rien de sérieux. Il est probablement sorti de l'hôpital à l'heure qu'il est.

Et comme pour minimiser l'affaire davantage, il raconte sa conversation avec le chef pompier qui attribue à la vigilance de Rodney le fait qu'une partie de la scierie a pu être sauvée. Sachant son grand ami hors de danger, Georges pose d'autres questions pour apprendre qu'un seul employé a été blessé, qu'il n'y a aucun mort et que...

— C'est toujours ben juste des bardeaux, comme dit ta mère.

— C'est pas ce que j'ai dit.

Irène est offusquée, mais Georges avait besoin de se libérer de sa pointe acerbe. Il n'est pas homme à se laisser insulter, même par son épouse, et même s'il sait très bien qu'elle a dit cela dans l'énervement. Il ne lui en tient aucunement rigueur, mais Irène devra s'accommoder de la réaction à ses paroles. Ils le savent tous les deux, ils ont presque trente-cinq ans de vie commune.

Le reste de la route se fait en silence, à une vitesse raisonnable. Étienne aimerait bien savoir ce qui se passe dans la tête de son père, mais Georges demeure seul dans ses pensées. Aux limites du village de Sainte-Croix, Georges ralentit encore davantage, il entre dans la cour de la scierie, descend de la voiture et demande à Étienne d'aller conduire sa mère à la maison. Celui-ci obéit à contrecœur, il aimerait, en ce moment, que son père ait besoin de lui, comme lui-même a besoin de partager cette tragédie avec lui. Sentir qu'il n'est plus seul. Mais cette relation privilégiée, ce n'est pas avec son fils que Georges l'a créée, c'est avec un certain Rodney Jessop qui a failli mourir la nuit dernière pour sauver sa scierie des flammes.

II

ÉTIENNE CONDUIT sa mère à la maison. Il monte les deux valises dans la chambre de ses parents et redescend aussitôt. Irène accepte le thé que lui offre Alice. Après, elle ira prendre un bain pendant que sa belle-sœur préparera un bon souper. Bruno, replié sur lui-même, se berce près de sa mère. La scène exaspère Étienne qui revoit simultanément les événements des derniers jours. Il ne veut pas entendre ce qui se dira.

Georges est assis à son bureau, mains jointes appuyées sur les lèvres. Ses pensées se chevauchent, se contredisent entre sa tête et son cœur, une lassitude profonde le garde cloué à sa chaise. Il voudrait se lever, mais ses membres ne lui obéissent pas. Hier encore, malgré les événements qui le retenaient à l'étranger, il filait le bonheur avec Irène.

Lorraine termine les pansements de Sébastien Caron avant qu'on le monte dans une chambre à l'étage. Rodney Jessop entre. Il a reçu son congé, il vient s'informer de l'état de l'employé avant de rentrer chez lui.

Judith relit le testament de Jean Brisebois. Elle hérite de tout son bien, en parts égales avec Clothilde : l'assurance-vie, le chalet de sa grand-mère dans les Laurentides, et la Cadillac. Elle est priée de taire que le curé avait des possessions et surtout de profiter du temps qui lui reste avec sa mère Clothilde, de qui elle a été privée durant presque toute sa vie. Jean Brisebois n'a qu'un seul regret qu'il a emporté avec lui : n'avoir pu être pour Judith le père qu'elle aurait mérité. « Le pardon de Dieu ne sert à rien si toi, ma chère fille, tu ne trouves pas un peu de bonheur sur cette terre. »

Étienne arrive à l'usine. Le bureau est vide. Il cherche son père partout sur le terrain. Il regarde le bâtiment échancré par les flammes. Rien ne bouge, l'endroit est désert, sinistre. Pas un craquement. Une odeur fétide empeste l'air. L'arôme du bran de scie frais et des copeaux pétillant dans le brûleur a été enrayé par les relents de suie mouillée. Ça pue. Étienne se jure qu'il fera revivre l'odeur de son enfance. Un oiseau s'envole et se perche sur une branche du plus haut sapin. Il a bien cent ans, cet arbre. Un écureuil descend le tronc à pleine vitesse, les joues rondes. Étienne marche lentement dans la cour, il traverse la lisière de sapins et d'érables qui sépare le terrain de la rivière. Il retrouve Georges assis sur la grève, sur la rive ouest, il écoute la rivière dans l'air tiède de septembre. L'homme regarde en aval. Songe-t-il à de plus vastes espaces ? L'océan ? La mer ? Georges n'entend pas Étienne approcher. Il écoute la rivière, les mains appuyées sur ses genoux repliés. Le soleil commence à descendre, répandant ses milliers de diamants rougeâtres sur son malheur. Étienne s'assoit près de lui. Après un long moment, Georges sort de son mutisme.

— Tu vois le pin, en aval, de l'autre côté ? Il a ton âge.

— Maman l'appelait la sentinelle du village.

Georges avait lui-même planté cet arbre, point de repère pour signaler l'endroit exact du remous qui avait déjà fait trop de victimes. Il raconte l'histoire du pin, la transplantation du petit plant au bord de la clairière. La pousse mesurait à peine trente centimètres, l'enfant en avait trois fois plus. Aujourd'hui, l'arbre s'élève au moins du double de l'homme. Étienne aime entendre cette version nouvelle de l'histoire du petit pin, comme la réécriture de sa vie, de sa propre relation avec son père.

Georges promène son regard sur la rivière, en amont jusqu'au grand croche. Il raconte à Étienne l'exploitation forestière au début de sa scierie, dans les années cinquante, soixante, quand chaque printemps la rivière reprenait vie avec les premiers billots qui descendaient le courant, les éclaboussures de l'eau sur les billes qui s'entrechoquaient dans les revers du courant. On les arrêtait à hauteur du terrain, des chevaux les halaient jusqu'au moulin. À l'époque, la fièvre du printemps, c'étaient des cris d'hommes qui s'appropriaient la rivière, ils couraient en équilibre sur les billots, ils revenaient vers la civilisation après avoir passé l'hiver en forêt à bûcher, à trimer dur et à se geler le cul. Étienne réagit à l'expression inattendue de son père. Georges sourit. Bien sûr qu'il n'aurait pas dit ça devant Irène. Dans ce temps-là, on surveillait son langage devant les filles, surtout devant celle pour qui on soupirait. D'autant plus qu'Irène venait d'une famille de gens bien, des professionnels à col blanc, fallait être à la hauteur. Georges prend une grande respiration, c'était le temps de sa jeunesse, l'avenir était assuré, il prévoyait déjà sa succession, il emmagasinait pour la progéniture. Enfin, c'était encore comme ça pour certaines personnes, comme un reste de traditions qui s'entremêlaient aux nouveaux courants de libertés de ces années soixante, soixante-dix.

— C'est à ce moment-là que les camions sont arrivés, on a quitté la rivière. On lui a redonné sa liberté, sa vie de rivière.

— Elle est belle ainsi, émouvante comme un poème.

— À l'époque, je te jure, Étienne, cette rivière était un poème tout aussi troublant. Écrit avec des vers de sueur, de danger, de morts parfois… Et d'amour…

Étienne Bellefleur découvre son père sous un jour insoupçonné. Pourquoi cet homme ne s'est-il jamais révélé ainsi avant aujourd'hui ? Un drame peut-il changer une personne aussi rapidement et à ce point ? À moins que ce soit le voyage. C'était la première fois que Georges acceptait de partir aussi longtemps. Étienne attend que son père poursuive son histoire. Il regarde dans la même direction que lui afin de mieux ressentir ce qu'il va dire. Il attend.

— C'est maintenant au tour des arbres de reprendre leur poésie.

Étienne va de surprise en questionnement devant les paroles de son père. Pour un homme sans grande instruction, un gars de bois. Pas que son père soit un rustre, au contraire — même enfants, ils étaient obligés de bien se tenir —, mais Étienne ne lui connaissait pas cette conception des choses. Et là, assis à même la gravelle de la rive… à moins que Georges fasse de l'ironie.

— Qu'est-ce que tu veux dire, papa ?

— Étienne, je prends ma retraite.

— Mais j'ai pas terminé mes études, je suis pas prêt.

— Prêt ?… Tu l'as jamais été et tu le seras jamais…

Le charme est rompu. Étienne est projeté dans la réalité amère. Il se défend un peu, mais Georges estime qu'il a été suffisamment patient. Et naïf. Étienne tente de répliquer. Il veut dire à son père qu'il aime cette scierie, que c'est toute son enfance, qu'il a vraiment compris quand il l'a vue disparaître, qu'il veut donner à ce lieu toute la valeur, toute la poésie qu'il mérite. Mais Georges l'arrête d'un geste de la main.

— Sois honnête avec toi-même. Tu as étudié en administration des affaires, tu étais amplement qualifié. En tout cas, plus que moi avec ma neuvième année. Tu as voulu me faire croire que tu avais besoin du droit combiné à une maîtrise en administration pour comprendre les enjeux légaux, quand tu sais très bien que Charles Rousseau est là depuis des années. En plus, c'est un ami de la famille. Tant d'années d'études pour scier des arbres et en faire des planches, c'est un peu charrié, tu trouves pas ?

Georges n'en tiendra pas rigueur à son fils, mais il ne veut plus se faire berner. Autant vendre ce qui reste de son entreprise à quelqu'un qui pourra et qui voudra la faire fructifier. Et que la vie continue dans le village de Sainte-Croix. Il pourrait aussi diviser ses terres en lots et les vendre à prix fort.

Irène téléphone à Clothilde, elle apprend son départ imminent et définitif de Sainte-Croix.

— Tu es l'une des rares personnes qui va me manquer, Irène.

Irène est déçue de la nouvelle ; elle perd une amie et une confidente. Elle est probablement la seule personne de Sainte-Croix à avoir vu les photos qui montraient Judith grandissant au fil des ans. Mais tout ça demeurait dans l'intimité des deux femmes. Irène invite Clothilde et Judith à partager leur repas. Ce sera le dernier repas que les deux femmes Brisebois prendront à Sainte-Croix.

Rodney Jessop gare son camion devant les bureaux de la scierie, juste au moment où Georges et Étienne sortent du boisé qui sépare la rivière du terrain de l'usine. Georges a un serrement au cœur en apercevant son vieil ami et contremaître. Il s'approche d'un pas rapide, donne une poignée de main ferme à Rodney, lui pose l'autre main sur l'épaule et le questionne du regard.

— Le jeune Caron va s'en tirer finalement. La petite garde-malade me l'a garanti.

Et Rodney raconte comment Sébastien Caron est retourné dans l'usine qui risquait d'exploser à tout moment et qu'il a été sauvé de justesse par un pompier. Sébastien Caron n'écoutait que son courage ; il savait que le contremaître était encore dans l'usine sans savoir où exactement.

— Mais toi, Rodney ?

— Ils ont ben énervé ma vieille pour rien : un ti-peu de boucane a jamais tué personne. En tout cas, je leur ai dit que je restais pas là une seconde de plus.

En voyant son ami le teint pâle, affaibli, Georges se rend compte de l'âge réel de son contremaître. Rodney dépasse les soixante-dix ans.

L'évocation de l'infirmière fait penser à Étienne qu'il n'a pas téléphoné à Lorraine. Il écoute encore un moment la conversation des deux hommes.

— Vas-tu reconstruire sur les mêmes plans ?

— Qu'est-ce t'en penses ?

— On pourrait en profiter pour apporter des améliorations ; les gars ont eu une couple de bonnes idées, dernièrement.

— Intéressant.

Étienne remarque la lueur qui traverse le regard de son père. Il se sent mal à l'aise de le voir encourager son contremaître au lieu de lui dire la vérité. Il s'éloigne un peu, compose le numéro de Lorraine. Il lui explique la situation, elle était au courant, tous les médias en ont parlé, en plus que c'est elle qui a accueilli Sébastien Caron à l'urgence, elle admet avoir eu tout un choc.

— Une nuit d'enfer, Lorraine. Et une journée épuisante.

Elle comprend. Lorraine comprend toujours. Elle n'attend après personne pour mener sa vie. Étienne ne pourra descendre en ville que plus tard en soirée et il est très fatigué. Il aimerait qu'elle vienne souper à la maison. Elle pourrait même rester jusqu'au lendemain. Malgré sa dernière expérience avec Bruno, elle accepte l'invitation. Elle a besoin de se rapprocher d'Étienne, de sentir sa présence, même si elle a de sérieux doutes sur les derniers jours. Elle n'aime pas être tenue à l'écart des événements importants.

Étienne revient vers les deux hommes. Rodney se gratte la tête, hésite.

— C'est sûr qu'il faut prendre le temps qu'il faut, mais… tu sais, Georges, les gars ont besoin de travailler… C'est légitime.

Rodney aime ce mot, *légitime*, il l'a appris en écoutant les bulletins de nouvelles lors de la grève des bûcherons. Depuis, il n'a jamais oublié ce mot, il sait ce qu'il signifie, l'utilise avec parcimonie, comme un bien précieux qu'il ne veut dilapider, et seulement avec qui saura l'apprécier. Georges lui met une main sur l'épaule. Étienne regarde la grosse main de son père sur l'épaule trapue du contremaître. Il se rend compte de la stature de ces hommes forgés à la dureté des gros travaux et se trouve bien frêle à côté de ces forces de la nature. C'est Bruno, en fait, qui ressemble à Georges, pas lui.

— On va se rencontrer lundi matin à dix heures. Appellerais-tu Clément et Arthur ? On va discuter à quatre.

— Oui. Bon ben, Adéline va s'inquiéter si j'arrive pas dans la minute. Elle m'a donné une heure, pas plus.

Rodney marche d'un pas alerte vers son camion, comme s'il était soulagé d'un poids. Georges jette un dernier coup d'œil autour.

— On est probablement attendus, nous autres aussi. Tu viens, mon garçon ?

Étienne ne peut pas faire un pas de plus sans connaître le fond de la pensée de son père. Il est impossible qu'il ait été sincère avec lui et aussi avec Rodney. Si oui, il n'est pas sérieux. Étienne doit le confronter, il n'attendra pas une seconde de plus.

— Papa, t'as pas l'intention de reconstruire, pourquoi tu l'as encouragé ?

— Tu l'as entendu comme moi : les hommes ont besoin de travailler.

— Mais toi ?

— Te souviens-tu, un jour, je t'ai parlé de la correspondance des êtres ?

— J'y repense très souvent.

Étienne venait de constater le véritable sens du concept qui lui semble être plutôt une théorie bien personnelle de son père : un attachement particulier ou un profond respect, il ne sait trop. Son père était sincère sur la grève. Mais là, debout au milieu des ruines, quelqu'un lui disait que tout un village a besoin de son usine. Georges venait de trouver la véritable raison de reconstruire : pas pour lui, pas pour Étienne, mais pour tous les travailleurs et leur famille. Et son projet était d'autant plus important. C'est pour ça qu'il devait écouter ce que ses employés avaient à dire, car il est clair aux yeux de Georges que son héritage finira probablement dans les mains de la communauté. Et le soir, ce même fils écrira peut-être quelques poèmes à propos d'une rivière et d'un champignon magique qui lance des étoiles dans la nuit. L'incendie de septembre ne sera qu'une page dans la petite histoire de Sainte-Croix.

Clothilde et Judith Brisebois sonnent à la porte des Bellefleur. Irène accueille ses invitées, les fait passer au salon, offre l'apéritif. Alice se joint à elles. Bruno arrête de se bercer, regarde Clothilde et Judith, et comme s'il revenait tout à coup sur terre, il se lève et les salue avec grande civilité. Il sait que ça fait plaisir à sa mère. Et puis, la présence de Judith le met sur un pied d'alerte.

Le retour à la maison se fait en silence dans la Cadillac de Georges. Étienne réfléchit à ce qu'il vient d'entendre. Il doit réagir vite. La décision qu'il va prendre sera une étape importante dans sa vie et il devra en assumer toutes les conséquences jusqu'au bout. Il se dit tout à coup qu'il peut concilier ses deux vies d'homme d'affaires et d'écrivain. Il se réservera une niche quotidienne, ou hebdomadaire, un moment privilégié pour lui, seul avec sa création littéraire. Georges entre dans la cour, éteint le moteur, ouvre sa portière. Étienne le retient par le bras.

— Papa.

Il fait une pause, prend une grande respiration et regarde son père droit dans les yeux.

— Je veux être à cette rencontre lundi matin.

Son père le regarde un moment.

— T'es certain de ça?

— Absolument.

Georges sourit à son fils.

— Et ta littérature?

— Les dimanches sont faits pour ça.

Georges serre la main d'Étienne comme pour sceller le pacte. Mais l'homme n'a pas l'habitude de s'attendrir trop longtemps. Il fait un signe de la tête en direction de la voiture du curé.

— Je crois que nous avons de la visite.

Ils entrent et se rendent directement au salon pour saluer. Étienne croyait que Judith était déjà partie. Dès qu'il l'aperçoit, une rougeur lui monte au visage. Il s'approche d'elle et l'embrasse sur les deux joues. Le regard complice des deux amants n'échappe pas à Bruno.

— Lorraine?

Étienne ignore la question de son frère qui ne cherche qu'à l'embarrasser, c'est évident. Il ne veut pas ternir ce moment de revoir Judith une dernière fois. Il fait une accolade à Clothilde, mais Bruno continue d'insister.

— Lorraine?

Pour toute réponse, Étienne lui dit qu'il arrive de l'usine avec son père. Mais son malaise n'échappe pas à Judith. Bruno la regarde, voit qu'elle se questionne, Bruno aime le doute, il va en semer encore quelques grains dans les airs.

— J'aime Lorraine. Je vais l'inviter à souper.

Il amorce un pas pour sortir du salon, mais Étienne l'intercepte.

— C'est déjà fait, elle est en route.

Judith suit attentivement les croisements d'yeux des deux frères. À moins que Lorraine soit l'amie de Bruno. À ce moment-là, il ne reviendrait pas à Étienne de l'inviter.

— J'espère que ça cause pas d'inconvénients à personne.

Georges coupe court à la conversation des deux frères. Une phrase de plus serait de l'impolitesse.

— Si y en a pour sept, y en a pour huit. Et Lorraine est toujours la bienvenue.

Alice s'empresse d'aller ajouter un couvert sur la table déjà mise. Plus il y a de monde pour goûter sa nourriture, mieux elle se porte. Et puis, Alice aime Lorraine, elle aussi. Une infirmière dans la famille, c'est précieux.

Étienne n'avait pas prévu la situation : ses deux femmes à la même table. Reste à savoir comment Georges va faire asseoir tout ce beau monde. Car chez les Bellefleur, c'est le chef de famille qui assigne les places à table. Irène et lui à chaque bout de la table : ce sont les deux seules places qui ne changent jamais. Le reste, c'est selon le jugement de Georges. Mais il ignore ce qui s'est passé durant son absence. Étienne doit s'en remettre au hasard et espérer pour le mieux. D'ailleurs, la sonnerie de la porte annonce l'arrivée de Lorraine. Étienne s'empresse d'aller ouvrir. Il prend bien soin de fermer la porte qui sépare le vestibule du salon. Il peut ainsi embrasser Lorraine à loisir sans témoins gênants. Puis, il l'amène au salon et fait les présentations.

— Tu connais Clothilde, je pense, la sœur de notre ancien curé…

Lorraine acquiesce, salue Clothilde.

— … et sa nièce Judith. Lorraine Morin. Lorraine est infirmière. C'est elle qui a accueilli Sébastien Caron à l'urgence, celui qui s'est brûlé dans l'incendie de la scierie.

Étienne tente ainsi de mener la conversation sur un sujet qui lui permet d'élargir le lien de Lorraine avec toute la famille Bellefleur. Les poignées de main s'échangent entre les trois femmes, mais le malaise est palpable. Lorraine se sent comme une étrangère. Pourquoi Étienne ne l'a-t-il pas présentée comme son amie ? Doit-elle donner des nouvelles de Sébastien ou poser une question à Judith qui a à peu près son âge, qui est très séduisante avec sa longue chevelure bouclée, son jeans serré et ses talons hauts et qui se retrouve dans la maison de son *chum* ? De Clothilde et sa nièce, qui est l'invitée et qui est la figurante ? Quel est le lien de ces deux femmes avec la famille Bellefleur ? Judith n'est-elle que la nièce du curé comme elle, Lorraine, n'est qu'une infirmière ? Elle qui n'est pas de nature méfiante, s'étonne de soupçonner ainsi tout le monde.

Georges aura encore quelques leçons à faire à son fils cadet, mais pour l'instant, il vient à la rescousse.

— Lorraine, qu'est-ce que je te sers ?

— Je crois qu'une bonne bière froide me ferait du bien.

Étienne s'empresse d'aller chercher une bière à Lorraine, et que les autres se débrouillent pour trouver un sujet de conversation. Georges demande toutefois à Lorraine de lui donner des nouvelles du jeune Caron. Et la conversation tourne autour de l'incendie pendant un certain temps, au grand soulagement d'Étienne qui en profite pour annoncer ce que tout le monde attendait comme allant de soi : son intégration à l'usine. Lorraine ne comprend rien à ce revirement inattendu. Après tout, elle n'a peut-être pas tout à fait tort de soupçonner du grenouillage. Qu'est-ce qu'Étienne lui cache encore ?

Finalement, on se met à table. Georges tire la chaise à sa droite pour Clothilde, puis il assigne une place à Judith, près de sa tante. Bruno s'empresse de s'asseoir près de Judith, son père le laisse faire. Alice à gauche de Georges, Étienne et Lorraine se retrouvent donc en face de Judith et de Bruno. Étienne regrette d'avoir caché à Judith la présence de Lorraine dans sa vie. La situation est évidente, elle est assise près de lui et non pas près de Bruno. Elle n'est pas une nièce, ils l'auraient tous dit. Judith regarde Étienne avec un brin de reproche et de désillusion : elle croyait que la vie lui offrait une seconde chance, mais il semble qu'elle se soit leurrée. Étienne lui avait parlé de littérature, Montréal semblait tout indiquée comme ville où faire grandir son talent. Mais il vient de dire qu'il sera un homme d'affaires et un avocat. Et Lorraine qui vient s'ajouter au portrait. Étienne voit bien que Judith est déçue.

— Étienne, tu sers le vin ?

— Bien sûr ! où est-ce que j'ai la tête ?

Il se lève. Alice et Irène apportent les plats sur la table et prennent place. Étienne sert le vin : d'abord Clothilde, Judith. Il en profite pour frôler innocemment son épaule. Judith esquisse un petit mouvement de retrait qui n'échappe pas à Lorraine. Étienne contourne la table et verse du vin à tante Alice, puis à sa mère. Irène exige qu'il serve toujours le vin d'Alice avant le sien, les invités avant les gens de la maison, ça lui donne le sentiment de garder la mainmise sur sa propre demeure et d'imposer subtilement à sa belle-sœur la distance nécessaire pour l'empêcher de s'approprier la direction de la maison. Alice a toujours été d'un grand secours depuis la naissance des garçons, ce qui lui a permis de se consacrer à sa création, en particulier durant les périodes précédant une exposition. Mais malgré l'affection qu'elle porte à sa belle-sœur, Irène tient à garder les positions claires.

Étienne verse du vin à Lorraine, Bruno la fixe. La même pensée leur traverse l'esprit : le voile de mariée, la robe souillée. Lorraine baisse les yeux. Étienne en verse à Bruno qui tient son verre par le pied. Étienne jette un œil à sa mère, elle voit bien que Bruno pourrait commettre un impair, elle est fatiguée et n'a pas envie de ses frasques, pas ce soir. Elle retient affectueusement la main de Bruno, Étienne verse. Cette fois, c'est Lorraine qui a un air de satisfaction, plutôt de soulagement.

Les plats circulent et tout le monde se sert selon son appétit. Georges prend la parole.

— Clothilde, Judith, que notre amitié demeure malgré la distance…

Un mince sourire s'esquisse sur les lèvres des dames Brisebois.

— ... souhaitons que ce délicieux repas que nous a préparé Alice...

Alice se trémousse sur sa chaise, son petit sourire ne cache pas la fierté qu'elle éprouve.

— ... puisse vous procurer un peu de réconfort. Lorraine, merci de te joindre à nous. Ta présence est toujours un plaisir...

Lorraine sourit à Georges qui lève légèrement son verre. Étienne songe au rituel dans lequel son père ne manque jamais de les plonger chaque fois qu'ils se mettent à table. Il a su exprimer en si peu de mots sa compassion pour le deuil de Clothilde et de Judith, sa reconnaissance pour Alice, son estime pour Lorraine. Il a nommé tous les membres de la famille, en arrêtant son regard sur chacun. Georges a recouvert la table entière de son empathie, en taisant sa propre tragédie. Sa scierie est détruite, il subit des milliers de dollars de pertes. Il devrait être complètement démoralisé, mais il trouve le moyen de se tourner vers les autres. Étienne est ému ; il admire son père comme jamais auparavant. Georges termine son toast en saluant son fils cadet, il le regarde, Étienne est subjugué.

— Merci, papa.

Personne n'est certain de la signification de ce merci, Georges lui-même n'en saisit pas toute l'importance. Étienne vient de remercier son père d'être ce qu'il est. Il pense à la scène dont il a été témoin dans la cour de la scierie tout à l'heure et se dit que peut-être un jour, lui et son père pourront se comprendre d'une simple main sur l'épaule. Étienne regarde sa main frêle en portant sa fourchette à sa bouche. Cette main n'aura jamais la force de celle de son père.

Le repas d'Alice est succulent. Judith félicite la cuisinière et remercie ses hôtes pour l'invitation. Ça lui donnera un autre bon souvenir du Madawaska. Lorraine saute sur l'occasion.

— Tu viens pas souvent ?

— C'est probablement la dernière fois.

Bruno intervient.

— Tu reviendras.

— Je crois pas.

— Pour Étienne, tu reviendras.

Bruno est satisfait de lui. Ça lui donne un pas d'avance sur Étienne. Toutefois, il ne peut être aussi direct. S'il veut garder son avantage, il devra nuancer son propos.

Rodney Jessop fait les cent pas, il rage contre Clément Castonguay. Adéline a abandonné ses efforts pour le calmer. Rodney téléphone chez Arthur Daigle, c'est un bon gars, il est plus raisonnable que CC, il comprendra la situation. Arthur est plus jeune aussi, il a une famille à nourrir, un avenir à protéger.

— Arthur ?... Rodney... Oui, oui, ça va correct... J'ai parlé à Georges après-midi... Crains pas, il parle de reconstruire... il est prêt à nous écouter... Oui... Lundi matin, dix heures... Arthur, faut que tu parles aux gars. Dis-leur de se calmer avec le syndicat. Jusqu'à ce que l'usine soit rebâtie... Je savais que tu comprendrais. Essaye donc de parler à CC demain... Non, non, pas à soir, il est soûl, je pouvais quasiment sentir son whisky au téléphone. À soir, ça donnera rien. Si tu peux ramasser le gros Ben de ton bord, il s'occupera des faiseurs de troubles... Bon ben, c'est ça, on se revoit lundi à dix heures... Au bureau à Georges... Bye.

Georges entre dans la chambre de Sébastien Caron. Sa mère est à son chevet, il la salue, lui donne la main, lui dit des mots d'encouragement. Elle reste un peu froide devant l'homme qu'elle tient pour responsable du malheur de son *bébé*. Georges s'approche du lit et regarde son employé comme s'il se rendait compte sur le coup de la jeunesse du garçon ; il n'est plus un adolescent, mais il est à peine un adulte. Sébastien entrouvre les yeux, aperçoit Georges et se sent très mal à l'aise que son patron le voit dans cet état. Georges décèle, dans ce regard de peur, l'effroyable angoisse du jeune homme de perdre son emploi, cet emploi qui lui avait permis de quitter l'école sans diplôme et d'avoir quand même un avenir solide. Georges pense à Étienne. Aurait-il la force de surmonter la douleur que subit Sébastien ? Aurait-il la détermination nécessaire pour se rebâtir ? Car ce garçon aura besoin de se rétablir, comme la scierie qui l'a si gravement blessé, elle aussi, a besoin qu'on s'occupe d'elle et qu'on la reconstruise. Georges est bouleversé devant le malheur de Sébastien Caron, son employé, un de ses hommes.

— Occupe-toi de guérir, mon garçon.

Il est ému comme un père devant son enfant. Il l'encourage du mieux qu'il peut, lui promet qu'il aura toujours sa place. Puis, il souhaite bonne nuit à Sébastien et à sa mère.

Les dames Brisebois sont rentrées au presbytère. Clothilde n'a plus d'obligations. Elle partira demain matin avec sa fille. Sa fille et le souvenir de son frère, ce frère qu'elle a tant aimé, trop aimé. Sa mort la plonge dans la plus profonde solitude. Bien sûr, il y a son frère Raymond et sa belle-sœur Claire, ceux que Judith a toujours appelés *papa* et *maman* parce qu'ils avaient pris soin de cette enfant qu'il fallait sauver du déshonneur. Chacun vivrait sa honte en silence. Aujourd'hui, Jean est mort, Clothilde reste seule avec le poids de son amour, et l'enfant, Judith, l'enfant devenue femme, amoureuse depuis l'âge de quinze ans, d'un amour qu'on lui a aussitôt arraché. Cet amour elle l'a vécu hier après-midi sous la chute d'eau, et encore la nuit dernière sous les chênes ; mais une fois de plus, la distance la séparera de celui qu'elle aime. Assises sur le lit de Clothilde, les deux femmes sont isolées chacune dans son silence. Chacune rumine ses pensées, ses déchirures.

Georges Bellefleur rentre chez lui, il est vingt-deux heures, la journée a été longue et pénible. La maison est dans un presque silence, on n'entend que la voix de CNN. L'éclairage est restreint à la lumière de l'entrée, la lueur qui filtre sous la porte de Bruno au haut de l'escalier, l'écran du téléviseur devant Étienne et Lorraine, assis côte à côte à plus d'un pied de distance. Georges leur souhaite bonne nuit et monte.

Couchée, Irène lit, éclairée par la veilleuse sur sa table de chevet. Elle n'est pas vraiment concentrée, mais cela lui donne une impression d'activité quand elle attend. Elle lit *Les orchidées rouges de Shanghai*, les cruautés d'une armée, l'esclavage de nombreuses filles démunies. La maison Bellefleur tombe tranquillement dans l'ombre de la nuit. Georges rejoint sa femme dans la chambre, il se déshabille, se met au lit. Elle ferme son livre, ils s'enlacent, unis dans leur silence commun, ils pensent tous deux à la scierie : Irène imagine les décombres, Georges voit l'usine renaître.

Étienne a tout fait pour convaincre Lorraine qu'il n'y a rien entre lui et Judith. C'était un flirt d'adolescent. Il l'avait oubliée. Il a même été très surpris de la voir à Sainte-Croix. À bout d'arguments, il s'impatiente.

— Je pouvais quand même pas l'empêcher de venir aux funérailles de son oncle !

— Je la trouve terriblement triste pour un oncle.

L'amertume de Lorraine se reflète dans tous ses propos. Elle ne croit pas Étienne. Qu'a-t-il fait après les funérailles ? Pourquoi ne lui a-t-il pas téléphoné comme promis ? Et qu'est-ce qui lui cause cette douleur au dos depuis hier ?

— Fallait rester, Lorraine, au lieu d'aller à ta conférence. J'avais besoin de soutien et tu as préféré t'en aller.

— Et Judith a pris ma place.

Étienne se rend compte de sa bévue. Il tend la main vers Lorraine et parle d'un ton calme.

— Lorraine, qui était assise à mes côtés durant le repas ?

— Et qui te mangeait des yeux en face de toi ?

— Mais avec qui je vais passer la nuit ?

— Pas avec moi en tout cas.

Elle se lève d'un bond. Il n'est pas dans ses habitudes d'être primesautière, mais elle n'est pas dupe. Elle sait bien que quelque chose s'est passé entre Étienne et Judith, c'est évident. Elle se sent humiliée et se découvre une jalousie inconnue.

— T'as même pas eu la décence de me présenter comme ton amie. Tu m'as présentée comme l'infirmière de Sébastien Caron.

Elle sort, Étienne la suit, tente en vain de la retenir. Elle monte dans sa voiture et file. Impuissant, Étienne revient sur ses pas, éteint le téléviseur et monte à sa chambre. Toute la maison est dans le noir, sauf la chambre de Bruno. Comme chaque nuit, Bruno veille jusqu'à l'aube. Il réfléchit, il écrit.

… au plus profond de son endroit sombre, chacun entre dans sa phase de métamorphose…

Bruno est revenu vivre à Sainte-Croix pour écrire sa dernière œuvre. Non pas une fiction celle-là, mais un récit de vie, le récit qu'il manipule au gré de sa vengeance. Il est revenu afin de pouvoir agir directement sur les antagonistes. Et pour ne pas déroger de son projet, chaque nuit, il écrit sa naissance.

… la rivière d'avril nous emportait vers ma venue au monde… le bateau tanguait sur le battant des vagues… Irène, elle, restait calme, elle me caressait dans son ventre, elle m'aimait déjà… je l'avais marquée de ma présence, de mon battement de cœur… et moi, je pourrais seulement l'aimer, toute ma vie… j'aimerais cette femme qui m'entraînait dans les eaux de la rivière, dans ses eaux à elle…

Chaque nuit, Bruno se remémore l'histoire de sa naissance. Chaque détail que sa mémoire lui a conservé, ou qu'on lui a raconté, il l'inscrit. Durant son exil, il a passé des jours, des semaines à réfléchir, des mois de psychanalyse afin de retrouver chacun des détails que la mémoire de son corps acceptait de transmettre à sa mémoire intellectuelle. Il a tout enregistré sur son magnétophone, il a écouté ses cassettes des centaines de fois, puis il les a détruites et est rentré à la maison. Après cinq années d'absence, il retrouvait celle qui l'avait trahi en donnant naissance à ce frère. Bruno suit le cours de son histoire, il est revenu pour cela, son histoire. Pour se faire justice. Et cette nuit, il a l'impression que la métamorphose obligatoire est amorcée.

Si le dimanche a suffi à Georges Bellefleur pour se reposer, la pause n'a toutefois pas permis à Étienne de se réconcilier avec Lorraine. Il tente de camoufler sa fatigue en buvant un café très fort et accompagne son père à l'usine. Durant la réunion avec les contremaîtres, il devient clair à ses yeux que Clément Castonguay est un fauteur de troubles. Néanmoins, ses arguments pour le syndicat sont très solides. Étienne sait qu'il devra inévitablement faire face à l'implantation d'un syndicat. Il décide de consacrer son mémoire à l'étude de sa mise sur pied et demande qu'on lui permette de faire son stage à la scierie. Maître Rousseau superviserait l'aspect juridique du dossier.

Étienne travaille d'arrache-pied durant toute la semaine pour rédiger son projet de mémoire et rattraper les cours manqués la semaine dernière. Mais tout ce travail acharné n'a pas réussi à remplir le vide causé par l'absence de Lorraine. Étienne ne peut se résoudre à rentrer à Sainte-Croix sans tenter au moins une réconciliation. C'est à lui de faire les premiers pas. Il téléphone.

— Salut, ma belle.

La belle n'a aucunement envie de lui parler. Il l'invite au restaurant, elle refuse. Elle a horreur des querelles d'amoureux en public. Lorraine n'a pas à étaler sur la table des voisins qu'elle s'est fait damer le pion par la prétendue nièce du curé.

— Mais c'est sa nièce, Lorraine.

— La question est pas là.

— Est-ce que je peux au moins passer chez toi ?

Silence au bout du fil, Étienne attend, répète sa question, elle réfléchit, n'est pas certaine.

— J'ai une sortie.

Il insiste qu'il doit absolument lui parler, qu'il peut y aller maintenant si ça lui convient.

— J'ai rendez-vous dans une heure, fais ça vite.

— J'arrive.

— Donne-moi au moins quinze minutes pour prendre ma douche et me changer. J'arrive du travail, précise-t-elle.

Étienne tourne en rond puis se stationne devant l'appartement de Lorraine, regarde sa montre, ça fait quinze minutes. Il sonne à la porte, elle lui crie de sa chambre.

— C'est ouvert !

Elle enfile son chandail et son jeans en vitesse et arrive pieds nus dans la cuisine. Elle a les cheveux encore trempés.

— Tu veux une bière ?

— Ben... si tu t'assois pour m'accompagner.

Elle hésite un moment, puis sort deux bières du frigo. Étienne est mal à l'aise. Il avait espéré qu'elle lui réserve un meilleur accueil. Lorraine dépose la bière d'Étienne sur la table, ce qui lui indique clairement sa place. Elle s'assoit en face, ne porte aucun toast et prend une gorgée directement de la bouteille. Le vendredi, généralement, ils relâchent complètement toute forme de convenance : ils mangent avec les doigts, boivent à même la bouteille, parfois ils se passent même le litre de vin comme deux « vieux robineux ». Et là, tout est permis, et ça les détend et ça leur fait du bien. Mais ce soir, il n'y a pas cette connivence. Étienne voit dans cette retenue que la partie n'est pas gagnée et qu'il aura du fil à retordre. Il lève sa bouteille en la penchant légèrement, parce qu'il voudrait, lui, comme à l'habitude, porter un toast en croisant le goulot de sa bouteille contre celui de Lorraine, manger du poulet avec ses doigts, relâcher les boutons de sa chemise, porter son vieux jeans usé et errer au hasard avec elle pour finir dans son lit et faire l'amour très tard, la tête un peu grisée par l'alcool, mais encore assez lucide pour jouir pendant quelques heures.

— Je t'écoute, Étienne. Vas-y, parle.

— Je t'ai pas téléphoné cette semaine parce que j'ai été super occupé.

— Moi aussi.

Il raconte les événements de la semaine, ses plans pour intégrer la scierie, son projet de mémoire. Mais Lorraine n'en a que faire de l'horaire d'Étienne.

— C'est beau, Étienne, moi, j'ai soigné des malades et, parmi eux, le rescapé de ta scierie. Plutôt de la scierie de ton père.

— Un jour, j'en serai le propriétaire.

— Tant mieux pour toi.

— Aurais-tu envie de venir vivre avec moi à Sainte-Croix ?

Lorraine reste interdite, sa bière au bord des lèvres. Elle considère cette « invitation » comme un affront. Peut-être attend-il un refus catégorique de sa part qui laisserait le champ libre à Judith ? Cherche-t-il à lui incomber l'odieux de la rupture parce que lui n'a pas le courage de le faire ? Elle ne peut retenir son sarcasme.

— Toi et moi à Sainte-Croix, et toi et Judith à Montréal ?

Étienne ne pourra pas longtemps tourner autour du pot et lui faire miroiter un bel avenir. Il reconnaît qu'il a peur de ce qu'il va lui dire, qu'il craint sa réaction, craint de la perdre, il lui demande de l'écouter jusqu'au bout, d'attendre avant de réagir. Lorraine sent l'impatience monter en elle, elle voudrait répliquer qu'elle le sait déjà, mais elle ne l'aidera pas, il devra le révéler lui-même. Et s'il veut rompre avec elle, il devra le décider et en assumer les conséquences.

— Dis ce que t'as à dire, Étienne, mais je t'avertis : pas de *bull shit*.

Échec et mat. Ou il dévoile tout, maintenant, ou c'est fini avec elle. Il rassemble son courage. Il va tout confesser, il est venu pour ça. Il n'entrera pas dans les détails. Cette grande joie lui appartient à lui seul. Et à Judith. Il la gardera dans son jardin secret. Tout ce qu'il raconte à Lorraine, c'est que la présence de Judith les a plongés tous deux dans leur adolescence et que le hasard leur a donné l'occasion de vivre ce qu'ils n'avaient pu à l'époque de leur première jeunesse. Et qu'enfin, oui, ils ont fait l'amour.

— Derrière la cascade.

Étienne s'étonne. Comment Lorraine peut-elle connaître ce détail ? Il revoit son recueil de poésie mouillé sur sa table de nuit.

— Bruno ?

— Ouep.

— L'écœurant.

— C'est moi qui lui ai téléphoné.

Elle se sent un peu soulagée de savoir la vérité, mais une question demeure.

— Pourquoi tu nous as invitées toutes les deux au même repas chez toi ? Qu'est-ce que t'attendais de cette rencontre ?

— Je savais pas que Judith serait à la maison. Autrement…

— Autrement, tu m'aurais pas invitée.

— Je sais pas.

Lorraine pourrait répliquer du tac au tac et le dialogue s'envenimerait jusqu'aux insultes qui cicatrisent mal au long d'une vie.

— Je veux pas faire l'autopsie de tes sentiments. Dis-moi franchement ce que t'es venu faire ici et qu'on en finisse.

— Tu veux rompre ?

— Arrête de me répondre par des questions. C'est toi qui es venu chez moi. Qu'est-ce que tu me veux au juste : rompre ou te raccorder ?

— Je veux qu'on oublie tout et qu'on revienne comme avant.

— Impossible. Avant, Judith Brisebois était qu'un vieux souvenir endormi. Aujourd'hui, cette fille… ben… t'as couché avec.

— Elle est partie depuis une semaine. Et remettra jamais les pieds à Sainte-Croix.

— Et à défaut de te retrouver seul, tu rappliques. Pourquoi tu t'en vas pas à Montréal ? C'est vrai, j'oubliais, monsieur le propriétaire de scierie.

La colère de Lorraine ne sera pas facile à calmer. Étienne doit la convaincre que c'est elle qu'il choisit.

— Si tu veux me pardonner, si tu peux me pardonner cette incartade malheureuse — ou appelle ça comme tu voudras. Moi, je t'aime, je suis bien avec toi, tu es la femme avec qui je peux être moi-même. Avec toi, je peux m'abandonner et respirer. Ma question est : Veux-tu vivre avec moi ?

Voilà, c'est dit, franchement et sans détour. Étienne n'a plus rien à ajouter. Il attend la réponse. Il a l'impression d'avoir plaidé sa cause devant un tribunal, mais sa juge, assise devant lui, sa bière vide à la main, les cheveux encore humides, les seins bien plantés dans son t-shirt sexy, il l'adore et espère son indulgence.

— Veux-tu une autre bière ?

— Ton rendez-vous ?

— Veux-tu une autre bière ?

— Est-ce que je peux enlever ma cravate ?

— Tu peux même détacher ton col de chemise. Et rouler tes manches.

Les deux autres bières sont déjà ouvertes, Étienne s'est *éloussé*, il prend la bière que lui tend Lorraine. Ils croisent le goulot de leur bouteille, sourient, prennent une gorgée. Lorraine l'invite à passer au salon. Étienne l'arrête dans son élan, s'approche un peu, hésite, puis lui donne un baiser sur les lèvres. Ils s'assoient sur le divan, bras contre bras et boivent en silence.

— Je t'aime.

— Moi aussi.

— Tu me pardonnes ?

— Mais j'oublie pas.

Il lui donne un baiser sur la joue. Ils boivent en silence. Étienne goûte son bonheur partiellement retrouvé. Lorraine s'apaise, elle peut vivre avec cette entorse dans leur vie. Étienne ne rentre pas à Sainte-Croix ce soir-là.

Bruno a beau tendre l'oreille, il n'entend pas le craquement du pas d'Étienne dans l'escalier, il le reconnaîtrait. Chacun a sa façon de faire craquer les marches dans la manière d'y poser le pied. Irène est montée, Georges l'a suivie peu de temps après, mais Étienne ne revient pas. Bruno regarde la barre du jour par sa fenêtre. Il est temps pour lui de fermer l'œil.

> *… le temps nous berce… l'automne se penche, désolé, sur la rivière asséchée par un été trop long… et moi, j'attends l'hiver… j'aime entendre la rivière ruisseler à travers la glace de janvier… comme un fœtus qui écoute la voix de sa mère…*

Bruno n'aime pas savoir qu'Étienne a passé la nuit en ville. Il était si heureux quand Lorraine lui a téléphoné. Il n'a rien ménagé, a tout rapporté à celle qui, du seul fait de son appel, devenait son alliée. Bruno guette le retour d'Étienne. Il déjeune à peine, l'angoisse lui coupe l'appétit. Il attend le retour de son frère. Enfin, dans l'après-midi, Étienne revient. Bruno se berce.

— Le temps est gris, dit-il.

Sans lui prêter attention, Étienne passe dans sa chambre, se change et descend dans son bureau. Il est en paix. Il peut maintenant occuper le reste de la fin de semaine à étudier et à réfléchir sur les relations de travail. À plusieurs reprises, Bruno vient l'interrompre.

— Lorraine?

Étienne ne répond pas. Il lui en veut de lui causer du trouble constamment. Quelle est l'espérance de vie d'une personne comme Bruno? Difficile à dire. D'autant plus que les médecins ne s'entendent pas sur le diagnostic. Parfois, Étienne se surprend à souhaiter qu'il lui arrive un accident, mais ces pensées sont immanquablement suivies d'un sentiment de culpabilité.

Lundi matin, Bruno se lève très tôt. Il a l'intention de descendre en ville. Étienne devra l'y amener.

— Je reviens seulement en fin de journée, Bruno.

— J'ai dit en ville.

Bruno descend à l'université et marche au bureau de poste du centre-ville. Il ouvre sa case et en sort un paquet. Il vérifie le contenu : dix exemplaires d'un recueil de Chacal, *Les eaux brisées*. À midi, il se rend à la cafétéria de l'hôpital, repère Lorraine et se présente à sa table. Elle le dévisage un instant. Il se braque. Il restera là tant qu'elle ne l'aura pas suivi. Elle s'excuse auprès de ses collègues et le suit à une table libre. Il lui donne un exemplaire du livre.

Lorraine le remercie, elle offre de le payer, mais Bruno insiste que c'est un cadeau.

— Parce que je t'aime.

— C'est gentil.

— Lis, là.

Lorraine ouvre le livre à la page marquée par un signet. Elle lit silencieusement.

— Fort. Lis fort. Que je t'entende.

Elle lit.

... le matin, la brume embaume la rivière de son linceul... et j'attends que tu paraisses entre les lambeaux de silence menaçant...

Bruno pose la main sur celle de Lorraine. Il lui parle sur un ton de reproche.

— J'ai attendu ton appel.

Lorraine reste perplexe. Elle a téléphoné à Bruno, il est vrai, pour connaître la vérité sur Judith, mais elle n'a jamais dit qu'elle rappellerait. Bruno lui serre la main. Il la fixe et lui parle d'un ton autoritaire.

— Tu es mon alliée maintenant.

Il la fixe encore plus intensément comme si ses yeux voulaient la transpercer.

— Tu peux plus m'abandonner.

Mal à l'aise, Lorraine éprouve un léger tremblement. La main pesante de Bruno sur la sienne provoque le même embarras que l'incident du vin sur sa robe. Ses yeux pâles, son regard voilé lui donnent tout à coup la chair de poule. Elle a l'impression d'être entraînée dans une manigance, comme une marionnette impuissante. Elle tente de retirer sa main, mais il la retient.

— Lâche-moi, Bruno.

Il serre davantage. Elle le fixe dans les yeux, parle d'une voix basse, lentement, en appuyant fermement sur chaque mot.

— Bruno Bellefleur. Si t'enlèves pas ta patte immédiatement, j'alerte la sécurité.

Bruno est déstabilisé, il perd de sa prestance, retire lentement sa main. Lorraine continue sur le même ton.

— Sors d'ici tout de suite.

Il se lève, embarrassé, la situation lui échappe.

— Étienne te mérite pas.

— On s'est réconciliés.

Pour toute réponse, Bruno cite par cœur un autre passage des *Eaux brisées* :

> *... il est trop tard... la rivière cherche ses eaux limpides... elle ne peut retourner vers le lac tari, la mer ne l'attend plus... il est trop tard...*

Elle amorce un mouvement vers son téléavertisseur, il recule immédiatement d'un pas.

— Trop tard, Lorraine. Trop tard.

Il quitte la cafétéria, laissant derrière lui une Lorraine perplexe. Elle ramasse le livre presque à contrecœur et retourne travailler. Elle n'a pas vu la dédicace : *À Lorraine, ma plus belle mariée. Bruno.*

En fin de journée, Étienne retrouve Bruno au parc municipal. Il est surpris que son frère soit au lieu prévu, à l'heure convenue. Normalement, il l'aurait fait courir. Bruno est assis sous le gros chêne bruni par l'automne, les écureuils courent en tout sens dans leur frénésie de provisions. Comme il a fait avec Lorraine, Bruno donne un exemplaire des *Eaux brisées* à Étienne, lui dit que c'est un cadeau et l'incite à lire la page marquée du signet. Étienne lit… à haute voix.

…la rivière scinde la terre, elle se fait un lit… et toi, tu ronfles déjà…

— Trop tard, Étienne. Rentrons.

Étienne ne comprend pas la démarche de Bruno. C'est le deuxième recueil de Chacal qu'il lui offre depuis son retour. Serait-ce lui la personne anonyme qui lui a fait parvenir *Écueils*, le premier recueil de Chacal ? Il y a déjà plusieurs années de ça. C'est d'ailleurs ce cadeau anonyme qui lui avait fait connaître le poète.

En soirée, Étienne feuillette le recueil plus attentivement. Il regarde la couverture : une rivière qui sillonne au cœur d'une forêt, peinture signée par un artiste qu'il ne connaît pas. Le recueil a été publié chez le même éditeur que toutes les autres œuvres de Chacal. Il feuillette le livre. Un son signale un courriel entrant dans l'ordinateur. Il jette un coup d'œil, c'est Judith.

Cher Étienne,

Aujourd'hui, j'ai planté des bulbes de tulipes avec ma mère. Je suis contente de pouvoir enfin appeler Clothilde « ma mère ». Les tulipes renaîtront au printemps, symbole de notre nouvelle vie. Nous avons aménagé le chalet à notre goût. Un petit ruisseau coule derrière la maison. Ce n'est pas la belle rivière large du Haut-Madawaska, mais ça me donne l'impression d'avoir ramené un peu de toi dans mes bagages, puisque je ne retournerai plus jamais à Sainte-Croix.

Si tu passes à Montréal, donne signe de vie si t'en as le goût. Je n'ai pas encore vendu mon condo, ça me garde un pied à terre en ville. Je verrai plus tard…

Bonne nuit,

Judith

Étienne relit trois fois le courriel de Judith. Surtout la phrase où elle mentionne sa mère. Il n'a su que très tard, et tout à fait par hasard, la véritable relation qui unit Judith, le curé Brisebois et sa sœur-servante. Il avait surpris une conversation entre Clothilde et Irène, il en avait été choqué au départ, mais Irène lui avait fait remarquer qu'il ne faut pas juger les autres sans essayer d'abord de comprendre. La révélation — et surtout l'explication d'Irène — avait eu l'effet d'un sauf-conduit pour lui, comme une approbation d'avoir aimé Judith malgré les médisances du village. Puis, il n'en a plus jamais parlé, même pas avec sa mère. Et il n'y a même pas pensé quand Judith est apparue aux funérailles du curé. Il relit une dernière fois le courriel, puis se remet au travail. Mais la pensée de Judith le distrait. Il griffonne sur une feuille, des lignes, des mots, des bouts de phrase.

Je voudrais m'égrener en poussières d'étoiles
le vent me transporterait
jusqu'à ta fenêtre
je te regarderais dormir
je veillerais sur tes rêves
ceux qui gardent vivant
le souvenir de nous.

Il répond poliment au courriel de Judith, se dit heureux qu'elle trouve un peu de quiétude, lui donne les nouvelles de la maison : son père s'occupe de la reconstruction de l'usine, sa mère peint toute la journée, Bruno est toujours le même être étrange, en proie à ses longs moments de silence morbide, les yeux rivés sur CNN. Quant à lui, il travaille avec acharnement à son mémoire, il entrera officiellement à l'usine au printemps, à la fin de la reconstruction. Cela ne lui laisse pas grand temps libre. Il ne dit rien à propos de Lorraine et signe en toute amitié.

III

La vie a repris son cours, l'amour a repris ses droits, la forêt s'est remise au service des hommes. À la radio, on annonce la réouverture officielle de la scierie Bellefleur et fils.

Irène a peint tout l'hiver, les hirondelles seront bientôt de retour à la fenêtre de son atelier. À la demande de Bruno, elle a mis momentanément de côté ses abstractions pour peindre un portrait : un couple de mariés, lui, en habit noir, elle, en robe blanche, dans un canot sur la rivière bordée par les feuillus, vision au cœur d'un été splendide. Pour conserver la mémoire, lui a dit Bruno. Il a insisté, elle a accédé à sa demande pour le calmer, pour retrouver la paix nécessaire à sa création. Et puis, comment résister à ces grands yeux tristes et suppliants quand il lui demande quelque chose ? Irène n'a jamais pu lui refuser quoi que ce soit. Elle a mis des heures à faire une œuvre dont elle pourrait quand même retirer une certaine satisfaction : un portrait impressionniste, aux contours flous, aux traits suggérés, aux teintes d'été, comme au temps des romantiques, souvenir pour elle aussi, sur la rivière, *Matin nuptial*.

Le tableau est désormais accroché dans la chambre de Bruno.

... c'était avant... quand il était encore temps de changer le cours des choses... sur la rivière, un matin... quand le

soleil retire ses ombres... dans un autre temps, un autre monde, un autre univers... avant que je m'exile... avant que je naisse, même... je berce le temps pour retrouver la mémoire qui me précède...

La radio répète la nouvelle de la réouverture de la scierie, le village de Sainte-Croix renaît en même temps que la nature. C'est un moment important pour tous. Étienne arrive à l'usine accompagné de Lorraine qui a fait coïncider son congé avec cette journée spéciale. Il lui fait remarquer la nouvelle enseigne :

Bellefleur et fils
Scierie
Depuis 1957.

— C'est notre avenir, ça, ma chérie.

Lorraine esquisse un sourire timide. Même si l'hiver s'est bien passé, qu'Étienne semble heureux — du moins, il est plus détendu que l'automne dernier —, elle reste avec un doute. Comment a-t-il pu changer si rapidement d'attitude ?

Les invités emplissent progressivement le grand espace dans l'usine, parmi les scies et les équipements neufs. Les travailleurs ont tous mis leurs habits du dimanche, ils portent fièrement leur casque de sécurité, bien astiqué pour l'occasion, tout propre malgré les marques du temps, les marques d'accidents dont certains auraient pu être fatals n'eût été du précieux casque. Ils sont heureux, soulagés surtout. Sébastien Caron est en fauteuil roulant, sorti de l'hôpital juste à temps pour la cérémonie. Il porte des gants pour cacher les cicatrices, il ne pourra reprendre le travail avant plusieurs mois. Encore chanceux, lui a dit le médecin. Adéline garde un œil sur son Rodney. C'est bientôt l'heure. Le député est là, le maire fait son entrée, flanqué de ses conseillers, l'équipe au complet. La cérémonie peut commencer. Georges prend la parole.

— Monsieur le député, Monsieur le maire, Messieurs les conseillers, Monsieur le curé, mes chers et fidèles employés, Irène, ma tendre épouse, mes fils Étienne et Bruno, Lorraine…

Étienne serre la main de Lorraine. Elle sourit, cette fois un peu plus franchement. Après tout, elle se trompe peut-être.

— … vous tous chers invités, je vous souhaite la plus cordiale bienvenue. Ce matin, c'est un homme heureux que vous voyez devant vous. En rentrant dans la cour, tout à l'heure, j'entendais le courant de la rivière. Je revoyais le temps de la drave quand les billots nous arrivaient par la rivière. J'avais l'impression d'entendre le cri des hommes, de les voir courir sur les billots. La vie emplissait l'air. Je me suis senti comme à vingt ans, à l'aube d'un jour nouveau. Et je sais que dans cette salle nombreuse, des hommes et des femmes sont aussi heureux que moi. En tout cas, pour le moins encouragés. L'hiver a été difficile pour ceux qui se sont retrouvés au chômage. Mais ce matin, c'est à nouveau le printemps. Et le moment de nous en réjouir. Nous pouvons célébrer la fierté de Sainte-Croix, le courage de ses hommes et de ses femmes. C'est avec une grande joie que je vous ai conviés à cette fête et que j'invite notre député à nous adresser la parole. Monsieur Dubé.

Le député prend la parole, suivi du maire. Le curé bénit la nouvelle usine. Étienne éprouve un moment de nostalgie quand le successeur du curé Brisebois prononce les saintes paroles. Judith n'a pas récrit, sauf une carte de Noël à la famille, carte cosignée par elle et Clothilde, un message assez général, pas un mot en particulier pour lui. Pas un courriel.

Georges remercie les orateurs à tour de rôle, puis il s'approche de l'une des grosses scies.

— Mesdames et Messieurs, ce matin, le soleil aurait pu se lever sur un tas de débris encore enfouis sous la neige. N'eût été d'un homme…

Les gens applaudissent Georges, il fait signe pour faire cesser l'ovation.

— Non. Je ne parle pas de moi. Au lendemain de l'incendie, j'ai longuement réfléchi, assis au bord de la rivière, j'avais pris la décision de ne pas reconstruire, de me retirer des affaires et de partir en voyage avec ma femme, retourner en Grèce peut-être…

On entendrait voler une mouche dans la salle.

— J'étais décidé. Mais un ange m'est apparu…

Un sourire général s'esquisse dans la salle. Alice imagine un archange aux grandes ailes blanches descendre du ciel, gracieux dans sa longue robe légère frissonnant au vent.

— … un ange assez mal en point…

Alice imagine l'ange s'accrocher la robe dans les branches, la robe déchire.

— … il toussait à s'en arracher les poumons encore pleins de la fumée de l'incendie, il m'a dit : « Georges, les hommes ont besoin de travailler. » Puis il a ajouté : « C'est légitime. » Cet ange, Mesdames et Messieurs, c'est mon ami Rodney Jessop. C'est à lui que vous devez la reconstruction de cette scierie.

Des applaudissements spontanés surgissent. On se retourne vers Rodney. Les sifflements des travailleurs fendent l'air. Alice sourit, elle imagine Rodney Jessop pendu par la robe au faîte d'un sapin. Georges continue.

— C'est donc à Rodney Jessop, fidèle contremaître et ami très cher, c'est à lui que revient l'honneur de démarrer la première scie. Rodney, viens !

Rodney avance timidement, il n'a pas l'habitude de ces solennités. Georges lui serre la main. Un gros billot attend près d'une grande scie. Adéline est émue, une petite larme de fierté coule de son œil gauche, mais une goutte d'amertume aussi. Son Rodney finira par en mourir s'il n'arrête pas. Rodney démarre la scie, les deux hommes prennent le billot, l'alignent et le poussent. La scie chante dans le corps de l'arbre. Les hommes repassent une deuxième fois le billot dans la scie. La première planche sort au bout de la grande table. Georges et Rodney la lèvent en l'air sous les applaudissements nourris et les flashs d'appareils photo. Étienne prend une grande respiration pour humer l'odeur du bran de scie frais qui lui arrive aux narines. Rodney arrête la scie, Georges dépose la planche sur une longue table recouverte d'une nappe verte et sur laquelle sont alignés plusieurs stylos-feutres. Il retient Rodney à ses côtés. Il lui demande de signer la planche.

— J'invite tous les employés de la scierie à signer cette planche à la suite de Rodney. Tous, sans exception, j'y tiens. Nous la poserons dans l'armoire vitrée que vous avez peut-être remarquée à l'entrée. Il me reste, Mesdames et Messieurs, à vous faire part d'un changement majeur qui s'est amorcé au courant de l'hiver.

— Le syndicat !

Arthur Daigle donne un coup de coude à Clément Castonguay et lui chuchote quelque chose à l'oreille. Georges ne se laisse pas impressionner.

— Vous avez sans doute remarqué la nouvelle enseigne qui a été placée à l'entrée du terrain. Ce n'est plus un secret pour personne, la scierie Bellefleur devient officiellement, ce matin, Bellefleur et fils !

Georges a appuyé sur le *et fils*. Étienne rougit d'émotion, Lorraine lui serre la taille, Irène pose un œil affectueux sur son fils, Bruno pince les lèvres, lance un regard de biais à son frère. L'incendie n'a pas eu l'effet qu'il escomptait. Ni sur Étienne, ni sur personne. Au lieu de partir chacun de son côté, ils se sont tous soudés plus solidement les uns aux autres, le laissant encore une fois à l'écart.

Georges poursuit.

— Le cadet de mes fils, Étienne, termine ses études à la fin du mois. Il sera diplômé en droit et en administration des affaires. Étienne a fait son mémoire sur les relations syndicales patronales. Le syndicat, CC, c'est avec lui que tu devras le négocier.

Clément Castonguay s'étouffe. Un éclat de rire général fuse parmi les travailleurs, les autres se contentent de sourire, ne comprenant pas tout à fait l'allusion. Les rires cessent, Georges poursuit.

— Je suis très heureux que mon fils désire partager cette belle aventure avec moi, avec nous tous. C'est le plus beau cadeau que je n'aurai jamais. Étienne, si c'est toujours ton désir, je te prie de venir me rejoindre.

Les gens applaudissent à tout rompre. Étienne reste figé sur place. C'est son ultime chance pour se raviser, laisser tomber le devoir de la postérité et se consacrer exclusivement à la littérature. Son père lui offre encore le choix, une dernière chance. Les fines particules de la première planche sciée flottent encore dans l'air. L'arôme frais et délicat a rempli la pièce. Lorraine remarque le malaise d'Étienne. Elle a toujours son bras autour de sa taille. Elle lui donne une petite poussée vers l'avant. Étienne voit dans ce geste la promesse d'un appui indéfectible. Il se ressaisit et marche jusqu'à son père. À mesure qu'il avance, son sourire s'élargit, Georges l'accueille à bras ouverts, lui donne une ferme accolade. Rodney Jessop donne une franche poignée de main au jeune homme et lui glisse quelques mots à l'oreille. Personne n'entend les paroles de Rodney, mais les yeux brillants du contremaître sont éloquents. Georges reprend le micro, en indiquant Étienne de la main.

— Mesdames et Messieurs, le futur pdg de Bellefleur et fils, Étienne Bellefleur.

Les jambes tremblantes, Étienne s'approche du micro. Quelques flashs d'appareils photo clignotent.

— Je ne m'attendais pas à une telle présentation ce matin…

Le rire des gens lui permet de reprendre un semblant de contenance. Il sourit, il est heureux. Il ne peut pas encore parler de ses hommes, de ses forêts, du syndicat, ou de quoi que ce soit de la scierie, tout n'est encore que futur pour lui. Sans trop réfléchir, il commence à parler. Chacune de ses phrases entraîne la suivante.

— Parfois, on tient un trésor entre ses mains. On n'en fait pas de cas, on l'ignore, on va même parfois jusqu'à le détester. Et un jour, ce trésor vous glisse entre les doigts. La sensation de l'objet qui fuit vous réveille brusquement, et vous avez juste le temps de réagir pour l'attraper du bout des doigts, au moment crucial, juste avant qu'il disparaisse à tout jamais. C'est mon histoire d'amour avec la scierie de mon père. Et avec mon père lui-même. La planche que mon père vient de scier avec monsieur Jessop, c'est ma planche de salut à moi. Merci, Monsieur Jessop pour votre apparition angélique.

Les gens rient, ils sont émus et ils rient. Étienne termine.

— Merci, papa, d'avoir écouté la voix de la sagesse et du dévouement. Merci pour tout ce que tu m'as enseigné.

Les dernières paroles d'Étienne se sont perdues dans les légers tremblements de sa voix. Seuls les gens plus près les ont entendues. Irène remarque l'émotion de Georges; il la regarde, lui sourit, ils se comprennent. Les applaudissements permettent à Georges de se ressaisir, il convie tout le monde à la célébration, les bouchons de champagne sautent, il est heureux.

— Et n'oubliez pas de signer la planche...

Les journalistes se partagent les pdg, l'ancien et le futur. Ils interrogent quelques personnes clés, des travailleurs, des gens de la communauté. Étienne reçoit les félicitations des gens; seule Irène connaît l'ampleur du sacrifice qu'il s'est imposé pour arriver à la fête de ce matin. Georges prend deux coupes de champagne dans un cabaret et rejoint sa femme. Alice déguste les bons plats du traiteur, elle note les ingrédients dans sa tête. La belle planche porte des dizaines de signatures. Le caméraman de Radio-Canada fait un gros plan sur Bruno qui lit tous ces noms, en tenant un stylo-feutre dans chacune de ses mains. Georges l'aperçoit, le voit enlever le capuchon des stylos avec ses dents. Il se rue jusqu'à lui, s'arrête dos à la caméra pour bloquer l'image. D'une main ferme, il immobilise le poignet de Bruno, l'étrangle presque. Un peu gêné, le caméraman fait discrètement un panoramique sur les invités. Georges a peine à se contenir : les yeux en feu, les dents serrées, il approche son visage très près de celui de Bruno.

— C'était ta dernière extravagance, mon garçon.

La détermination de sa voix et le mépris de son regard ébranlent Bruno. Voyant la scène, Irène s'est approchée, elle constate le dégât, deux grandes rayures sur la planche. Devant l'évidence, elle est saisie d'une grande tristesse.

— Pourquoi, cher? Pourquoi t'as fait ça?

— Moi, c'est Bruno.

Il les laisse tous deux devant la planche. Avec un air arrogant, il prend un verre de champagne du cabaret d'un serveur, se sert également un amuse-gueule au caviar, le gobe d'une bouchée et se faufile parmi les convives. Georges demande à sa secrétaire de vérifier que tout le monde a signé, puis de ranger les stylos-feutres. Irène va s'entretenir avec le caméraman qui reconnaît l'artiste et lui promet que rien ne paraîtra en ondes. D'ailleurs, il n'a pas pu filmer le geste de cet homme. Le connaît-elle? Elle acquiesce, termine poliment la conversation puis rejoint Sophie et Frédéric. Sophie la questionne sur les œuvres de sa prochaine exposition. Bruno s'approche de Lorraine, lui serre la taille pour la rapprocher de lui, la complimente sur sa toilette.

— Viens vivre à la maison.

Elle le regarde, interloquée; il lui sourit et répète son invitation.

— On a tous besoin de toi.

Lorraine ne se laisse pas prendre au jeu de Bruno. Elle retourne près d'Étienne qui termine à l'instant une entrevue. Bruno s'aperçoit que sa mère l'observe, il s'éloigne et se perd parmi les invités.

La vie reprend ses droits, la forêt s'est remise encore une fois au service des hommes. L'hiver a été laborieux. La rivière, qui n'a jamais été aussi belle qu'en ce printemps d'envol, se calme progressivement. L'embâcle s'est fragmenté, les derniers morceaux de glace dévalent le courant en fondant, pressés de retrouver l'été, la mer et ses plages chaudes.

Irène a passé tous les mois enneigés dans son atelier. Des teintes ocrées, des nuances de jaunes et d'orangés jonchent ses toiles. Formes et couleurs traduisent une apparente sérénité. Et pourtant, une ombre flotte dans ces tableaux, comme une tristesse parmi les nuances évocatrices de chaleur.

> *… le souvenir des glaces colle à ma peau… elle peint des ocres, je trace des mots sur des feuilles virtuelles… des mots d'ombres… les ombres du soleil sur la maison, du côté de notre existence, celle qui donne sur le couchant… la vie descend sur la rive ouest de la rivière… là où le soleil, un jour, s'est levé… le disciple de Georges s'est endormi, il a laissé sa vie à une fête… il l'a abandonnée au fond d'une bouteille de champagne… enivré des pétillements de promesses…*

Étienne est soucieux. Il lui faut liquider le bois. Les hommes travaillent, l'usine tourne sans arrêt, le champignon magique brûle, il est sécuritaire. Même si l'enquête a révélé que l'incendie était purement accidentel, de nouvelles mesures ont été adoptées pour la sécurité et la productivité. La scierie sent bon à nouveau. Mais l'exportation du bois a diminué depuis les nouvelles mesures protectionnistes des voisins du Sud. Il faut trouver des marchés pour l'écoulement du produit. Et pour garder courage. Étienne écrit dans son petit cahier noir, pour se rappeler, se convaincre : « La sensation du trésor qui fuit est plus douloureuse que la brûlure de l'absence. L'attraper du bout des doigts, au moment crucial, juste avant qu'il ne disparaisse à tout jamais. Je sèmerai des petites joies sur mes dimanches. »

Au terme de sa série sur les ocres et les orangés, Irène range ses pinceaux. Pour la dernière fois. Sa production hivernale se détaille à une vingtaine de tableaux, tout un hiver, entre *Les orchidées de Shangai* et la crue des eaux, vingt-deux impressions du destin, entre le départ des hirondelles et leur retour dans le nid protégé par les branches touffues des conifères. Des formes esquissées, presque humaines, des mers de sable brûlant, presque blanc parfois, des remous dissimulés, avec des traînées d'ombre qui s'immiscent entre les teintes et qui ressortent, ailleurs, dans les orangés. Georges, qui entre si rarement dans l'atelier d'Irène, l'observe dans l'embrasure de la porte. Elle lave ses pinceaux. Il examine les tableaux, interroge cette impression floue de lassitude qu'il croit y déceler. Irène ferme le coffre contenant tous ses pinceaux. Son geste est lent, comme une prière qui s'achève. Georges s'approche d'elle, il la prend dans ses bras.

— Tu exposes quand?

— En juin.

— Pas trop déçue de mon retour à l'usine?

— Toi, tu pourras jamais arrêter.

— Dans deux ans, Étienne connaîtra tous les rouages, il pourra se passer de moi. Et là, on pourra faire un très long voyage. Quant à Bruno…

Mais Irène l'interrompt. Elle sait ce que pense son mari. Elle sait surtout que Bruno peut être méchant, elle l'a vu de ses propres yeux — Bruno avait expressément rayé le nom d'Étienne sur la planche — et l'incident la perturbe profondément.

Étienne rejoint Lorraine chez elle. Il prend congé des négociations avec les représentants du syndicat, il oublie les piles de planches dans la cour, ce soir, il prend congé, il va au théâtre avec Lorraine, Frédéric et Sophie.

Dans le salon Bellefleur, Georges abaisse le document qu'il est en train de lire. Irène est plongée dans sa lecture. Ses traits tirés dénotent une fatigue plus grande qu'à l'ordinaire. Il s'en inquiète.

— Tu es pâle dernièrement. Est-ce que tu te sens bien ?

— Un peu lasse, c'est tout.

— Tu devrais peut-être voir un médecin.

— C'est juste l'hiver qui tarde à me sortir du système.

— Au moins une prise de sang.

— Georges…

— Je serais plus tranquille.

Georges craint toujours que sa femme ait une rechute, on ne sait jamais avec le cancer. Même après vingt-cinq, trente ans, le traître peut réapparaître. Irène souhaite bonne nuit à son mari et monte se coucher. La lumière filtre sous la porte de Bruno. Irène arrête et frappe deux petits coups.

— C'est barré.

Signe que Bruno ne veut parler à personne. C'est ainsi plus souvent qu'autrement. Et puis, il connaît la menace qui pèse sur lui depuis la réouverture de l'usine. Personne n'a rien dit devant lui depuis, mais il a surpris une conversation entre ses parents.

— Justement, Irène, c'est NOTRE fils. J'ai donc, moi aussi, mon mot à dire.

Irène souhaite bonne nuit à Bruno à travers la porte close. Il ne répond pas. Lasse et inquiète, elle se met au lit. Seul le sommeil pourra l'éloigner un peu des inquiétudes qui la tourmentent.

Georges termine la lecture de son document. Étienne entre sur la pointe des pieds, la lueur du salon le soulage. Il retrouve son père, seul, la tête appuyée sur le dossier de son fauteuil, les yeux fermés. Il s'assoit dans le fauteuil d'Irène, placé de biais avec celui de son père, s'excuse d'arriver si tard.

— J'avais besoin de me détendre.

— La pression est plus grande que tu pensais ?

— Pas vraiment ; je t'ai vu aller pendant tant d'années.

— J'ai jamais parlé de mes affaires devant vous autres.

— Non, mais quand t'avais les sourcils rapprochés pendant toute la durée du souper, les soirées que tu passais dans ce fauteuil à jongler, tu défronçais les sourcils pour te plisser le front, je savais bien que tu tentais de trouver une solution à un problème.

— C'est vrai... et ce sera pareil pour toi.

— Je sais.

— Regrettes-tu ta décision ?

— Non. Mais j'ai encore besoin de ton aide pour un certain temps.

Un moment de silence vient renforcer l'intimité entre le père et le fils.

— Si tu savais, Étienne, comme je suis heureux.

— Moi aussi...

Étienne apprécie ce moment de complicité. Il se fait le vœu de mériter chaque jour cette confiance qu'il lit dans le regard de son père. Ils discutent de la proposition reçue du syndicat des travailleurs de l'usine. Georges questionne Étienne pour savoir si les demandes lui semblent réalistes pour l'entreprise.

— Oui. Pour l'instant, il y a pas vraiment de problèmes. Mais dans un an, si les frontières américaines se resserrent, si le protectionnisme s'accentue, ça peut vouloir dire adieu au statut privilégié de l'Atlantique. Et là, on pourrait connaître des problèmes de liquidité.

— Qu'est-ce que tu proposes ?

— J'ai pensé qu'on pourrait convaincre les hommes de signer pour un an, le temps de voir évoluer la situation. Pendant ce temps, on pourrait développer de nouveaux marchés. Deux nouveaux clients, des gros, nous permettraient de rattraper ce qu'on a perdu pendant la période d'arrêt... Faut que les gars acceptent un an.

— Penses-tu pouvoir convaincre CC ?

— Un an ou la moitié de l'augmentation sur la période proposée de trois ans. Sa pinte de whisky sera pas mal moins grosse, le CC.

Georges éclate de rire, de son rire malicieux de bûcheron qui surgit du fond des tripes. Il y a longtemps qu'Étienne n'a pas entendu ce rire chez Georges, des années. Peut-être que la dernière fois, il était encore enfant. Il aimait ce rire, il a souvent tenté de l'imiter en jouant dans les monticules de copeaux et de bran de scie. Étienne rit avec son père. Georges s'essuie les yeux, reprend son sérieux.

— En fin de compte, tes études t'auront bien servi.

— Reste à savoir si l'argument va tenir la route.

— Fais de ton mieux, Étienne. Et pour le reste, fais confiance à la vie. De toute façon, avant de signer, on montrera tout ça à Charles Rousseau.

Bruno entend le pas des deux hommes dans l'escalier. Il les entend se souhaiter bonne nuit, il entend le petit rire étouffé de Georges, la porte d'Étienne qui se ferme.

... il se berce d'illusions... son destin le rattrapera... je mettrai le venin dans l'encre du poète... le conduirai près

du remous… le traître boira l'encre dans l'espoir de cracher une œuvre… il s'y noiera… tel est son destin…

À midi, Étienne a obtenu une entente de principe. Il ira chez Charles Rousseau. Le vote aura lieu la semaine prochaine, les résultats seront annoncés quelques jours plus tard. Georges félicite son fils et rentre à la maison pour le dîner. Et pour voir Irène. Étienne file à son dernier cours. Avant de quitter l'usine, il jette un œil sur la planche dans l'armoire vitrée, la planche avec tous les noms des travailleurs et son nom à lui, partiellement caché sous la rayure faite par Bruno. Cela n'empêchera pas Étienne de faire ce qu'il doit.

Alice a préparé le repas, Irène lui a demandé de l'aide. Les deux femmes écoutent Georges raconter l'exploit d'Étienne, il a réussi à faire accepter une entente d'un an.

— *By Gees*! que je suis fier de mon fils!

La fin de semaine donne lieu à un souper de réjouissances. Irène veut souligner le premier succès d'Étienne dans ses nouvelles fonctions. Elle invite quelques intimes : Lorraine bien sûr, Charles Rousseau et Jacqueline, Frédéric et Sophie puisqu'ils sont les plus proches amis d'Étienne. Alice s'occupe de tout préparer.

Georges et maître Rousseau discutent au salon en compagnie de leurs femmes. Alice prend une pause sous les lilas en bourgeons. Bruno profite de l'arrivée de Frédéric et de Sophie pour entraîner Lorraine dans sa chambre sous prétexte de lui montrer le tableau d'Irène.

La chambre de Bruno est d'une propreté impeccable. Il a permis à tante Alice, il lui a même demandé, de bien nettoyer sa chambre. Alice ne s'est pas fait prier ; il est si rare que Bruno laisse quelqu'un entrer dans sa chambre. Mais s'il voulait y amener Lorraine, l'endroit devait être propre. Bruno montre le tableau peint par sa mère. Lorraine apprécie l'œuvre de l'artiste, mais ne comprend pas que Bruno l'invite dans sa chambre, lui qui garde toujours la porte sous clé.

— Lorraine, viens vivre ici.

— Étienne va faire construire une maison en ville.

— Non !

Bruno claque la porte de sa chambre restée ouverte. Il fixe Lorraine dans les yeux.

— Tu me détestes.

— Pas du tout. Je t'aime bien, Bruno.

Il s'approche d'elle, la prend dans ses bras.

— Viens vivre ici. J'ai… On a tous besoin de toi.

Bruno la serre très fort. Elle est prise par son étreinte et peut à peine respirer. Elle croyait qu'il s'était calmé, mais elle n'est pas toujours là pour le savoir. Depuis l'histoire du vin sur sa robe, elle s'est juré que Bruno n'aurait plus jamais d'emprise sur elle.

— O.K. Bruno, dit-elle d'une voix étouffée.

— Promis ?

— Oui.

Bruno se détend et lâche son emprise.

— Je t'aime, Lorraine.

— Oui, je comprends.

— Tu vas venir ?

— Allons rejoindre les autres.

— Lorraine ! Tu as fait la promesse.

— Oui, mais je peux pas décider ça par moi-même. Il y a tes parents aussi.

Bruno reste un moment saisi.

— Je m'en occupe.

Il la ramène devant le tableau.

— Regarde, ça pourrait être toi, cette mariée.

Lorraine réussit à convaincre Bruno d'aller rejoindre les autres. Ils sortent de la chambre et font face à Étienne au pied de l'escalier. Il les regarde descendre, Bruno affiche son rictus victorieux, Lorraine a les joues rouges d'émotion. Étienne devine qu'il s'est passé quelque chose, mais il attendra que Lorraine lui raconte.

— Tu veux un apéro ?

— Volontiers.

Lorraine en a bien besoin. Elle a vu dans l'expression d'Étienne qu'il s'est aperçu de son malaise. Elle se rend de plus en plus compte du pouvoir que Bruno exerce sur ceux qui l'entourent, et ça l'effraie.

Ils vont rejoindre les autres au salon. Bruno les suit. Sophie a vu la publicité de la prochaine exposition d'Irène — un très beau tableau — et elle a bien hâte de voir toutes ses nouvelles œuvres. Sophie est très expressive ; Irène y voit une passion peu ordinaire pour les arts. Jacqueline Rousseau la questionne sur ses ambitions. Sophie dit sans prétention que son rêve ultime est de devenir négociante d'œuvres d'art. Charles Rousseau lui précise qu'elle devra s'expatrier, mais Sophie entrevoit cela d'un bon œil. Elle a la ferme intention de suivre Frédéric qui a, lui aussi, des ambitions à l'international. Georges croit qu'il est bien dommage que les jeunes cerveaux aient à quitter leur milieu pour réaliser leurs rêves. Il se dit très heureux qu'Étienne puisse rester dans la région. Bruno ne rate pas l'occasion.

— Dans le village. Dans cette maison.

Tous se tournent instantanément vers Bruno, assis à l'écart dans sa chaise berçante. Étienne fixe son frère, il sait ce que lui, il a promis à Lorraine : une maison en ville. Il ne le laissera pas semer le doute encore une fois dans la tête de Lorraine. Georges regrette bien d'avoir ouvert une boîte de pandore ; il connaît son aîné et n'a pas envie de le subir en ce moment. Il jette un œil sévère à Bruno comme pour le mettre en garde et s'empresse de dévier la conversation sur le fait banal que la saison de golf va bientôt commencer, et Charles vient à sa rescousse en demandant à Frédéric s'il joue au golf.

Enfin, Alice annonce à Irène que tout est prêt. On se met à table. Georges porte un toast au premier succès d'Étienne. Le repas se passe dans la bonne humeur. Bruno se tient coi, reluque de temps à autre du côté de Lorraine ou de Sophie, mais mange avec civilité, au grand soulagement de sa mère.

Après le dessert, tous retournent au salon pour le digestif. Irène invite Sophie dans son atelier. La jeune fille aura le privilège de voir ses récentes toiles avant tout le monde. Les deux femmes passent une bonne demi-heure à discuter de l'œuvre d'Irène. L'artiste est impressionnée par l'analyse de Sophie et surtout par sa grande sensibilité. Comme par instinct, Sophie a cette capacité de ressentir les émotions qui se dégagent de l'œuvre. Devant le tout dernier tableau, elle reste bouche bée. Irène remarque son malaise et la questionne.

— On dirait qu'il y a une fin dans ce tableau… la fin de quelque chose de très important… je sais pas quoi, mais une fin sans retour possible… suite à un long déclin, comme une agonie, presque…

Sophie se tait. Ce qui l'a vraiment frappée dans cette œuvre, c'est qu'il n'y a aucun espoir. Rien, pas la moindre lueur qui permette d'entrevoir une issue possible. Elle n'a jamais vu quelque chose de semblable chez Irène. Mais elle se rend compte qu'elle est en train de le lui dire, et elle ne veut pas. Pas ce soir en tout cas.

— Je me trompe sûrement, j'ai trop d'imagination. Quand je m'installe devant un tableau, je me mets à délirer, j'invente toutes sortes de choses…

Sophie se tait, mais ne peut décrocher son regard de cette toile.

— Excusez-moi, je vous retiens de vos invités.

— Tu as raison, Jacqueline pourrait s'offusquer.

Elles quittent l'atelier, mais le lendemain, Irène ira inscrire le nom de Sophie au dos de son avant-dernier tableau, qu'elle lui donnera à la fin de la tournée d'expositions. Elle lui donnerait bien celui qui l'a tant bouleversée, mais il a été peint à l'intention de Georges, en guise d'adieu.

La nuit transite vers le jour, les jours enlacent le printemps, les nuits sont fraîches et claires. Étienne se concentre sur les dernières corrections de son mémoire. Il est presque trois heures du matin, la petite sonnerie indique un courriel entrant dans son ordinateur. Qui pense à lui si tard dans la nuit ? Qui veille ? Poussé par la curiosité, Étienne ouvre, c'est Judith. Sa main se met à trembler sur la souris, il double-clique sur le message.

Bonsoir Étienne,

J'ai lu dans Le Madawaska – ma mère est abonnée – que la scierie a rouvert ses portes et que tu t'y es engagé de plain-pied. Permets-moi de te féliciter, tu sembles très fier de ta décision, si j'en juge d'après ta photo dans le journal. Je comprends qu'après mûre réflexion, tu as choisi les affaires au lieu de la littérature, et préféré Sainte-Croix à Montréal. J'imagine que tu es dans l'effervescence de la fin d'année, d'autant plus que c'est l'année du diplôme. Je tiens à te féliciter pour ça aussi. J'espère que les résultats seront à la hauteur de tes attentes. Toutefois, n'oublie jamais une chose : la résignation est le somnifère de l'âme. J'ai payé très cher pour l'apprendre ; dans mon cas, c'était du cyanure…

Amitiés,

Judith

P.-S. — Sur une note plus gaie, la nuit est calme et j'entends le ruisseau de ma chambre. La première tulipe a ouvert ce matin. Rouge. Des dizaines d'autres fleuriront dans les prochains jours qui s'annoncent chauds.

Étienne relit le message, sa déception s'accentue. Judith ne donne aucune nouvelle d'elle si ce n'est qu'elle regarde pousser les fleurs de sa tante-mère. Le ton du message le chagrine. La déception de Judith est éloquente. Il se lève et se plante debout devant la fenêtre qui donne sur la rivière. La nuit est noire au cœur de cette forêt dense et florissante ; seul le pâle rayon de la lune se reflète sur les eaux limpides de fin d'avril. Cette rivière si attachante lui aurait-elle jeté un sort pour qu'il la choisisse au détriment de ses rêves d'écriture et de sa passion pour Judith ? C'est bien ce qu'elle lui reproche dans son courriel : d'avoir choisi le rêve de son père et de lui avoir préféré Lorraine. Il n'a pas eu le courage de dire à Judith que leur amour était impossible. Lui-même pendant un après-midi a osé croire que la vie lui donnerait une deuxième chance, mais cette nuit, il sait qu'il en est tout autrement. Il contemple la rivière encore un moment, puis se décide de lui répondre.

Très chère Judith,

Le ton de ta lettre me donne froid dans le dos. Je sais que je n'ai pas été tout à fait honnête en te laissant croire qu'il y avait quelque chose de possible pour nous deux. Moi-même j'ai espéré. Et je me sens un peu coupable de t'avoir laissée partir sans t'expliquer ce que l'incendie a réveillé en moi, car c'est bien cet incendie qui a déclenché ce revirement. Mais, à ce moment-là, ce n'était pas très clair pour moi non plus. On n'y peut rien, la vie est une grande égoïste qui garde pour elle le meilleur de l'être. Il appartient à chacun de nous de faire ce qu'on peut avec ce qu'elle nous laisse de possibilités.

La nuit est sombre et la rivière limpide. Je m'accroche à mon destin qui, finalement, rendrait heureux plus d'un homme qui se trouverait à ma place. Je ne crois pas que ce soit de la résignation.

Je garde le meilleur souvenir de notre rencontre et malgré tout, je t'aimerai toujours.

Étienne

Il clique sur *Envoyer*, conscient qu'il vient d'écrire sa lettre d'adieu à Judith, et que cette déchirure prendra du temps à guérir.

Les jours se comptent à rebours jusqu'à la remise des diplômes. C'est dimanche encore une fois, jour de repos. Irène est allongée dehors dans sa chaise. Elle somnole. Le soleil coupe la fraîcheur de l'air. Georges entraîne Étienne.

— Allons faire un tour, j'ai quelque chose à te montrer.

La camionnette parcourt la contrée. Le long du trajet, Georges montre à son futur héritier toutes les terres qui lui appartiennent. Étienne savait que son père avait des terres, mais il était loin de se douter qu'il possédait presque toute la forêt à des kilomètres à la ronde.

— Plus haut, aussi, mais c'est trop loin pour y aller dans un après-midi.

Georges profite de ce moment pour demander à son fils où il compte s'installer. Étienne pense à sa promesse à Lorraine, aux allusions de Bruno. Il a bien en tête sa maison de rêve, mais là encore, ce n'est qu'un rêve, et il sait comment la vie garde pour elle le rêve des hommes.

— Ma maison de rêve serait un peu à l'écart du village, et là je te cache pas que c'est en partie pour m'éloigner de Bruno. Je voudrais une maison assez grande pour y voir grandir quelques enfants. Et je l'aimerais sur le bord de la rivière. Mais ce n'est qu'un rêve ; il y a la promesse à Lorraine.

Georges ne connaît pas la promesse faite à Lorraine. Il emprunte une petite route de terre, peu fréquentée si on se fie à l'herbe qui pousse entre les ornières, le chemin encore boueux sillonne entre les arbres. Georges arrête le camion. Ils descendent, marchent dans la forêt, empruntent un sentier à travers la végétation, conifères et feuillus bourgeonnants. Tout à coup, le soleil les aveugle, la forêt arrête devant un champ qui s'étend sur plusieurs centaines de mètres carrés et, au bout de cette clairière, la rivière qu'on entend couler au pied d'une petite falaise et qui est accessible par une pente douce qui descend jusqu'à la grève. De loin, on dirait un lit de sable. Étienne a le souffle coupé, il réussit à peine à murmurer.

— Que c'est beau !

— J'ai que de bons souvenirs sur cette parcelle de terre… C'est ici que j'ai embrassé Irène pour la première fois…

Les deux hommes avancent à travers les foins encore aplatis par l'hiver.

— C'est dans ces foins qu'on a fait l'amour pour la première fois. La veille de notre mariage. En août, les foins sont à pleine hauteur.

Et aucun enfant n'a été conçu, ce qui garde au souvenir de Georges toute l'ivresse ressentie ce jour-là. Il le dit avec un brin de fierté dans la voix. Étienne regarde son père d'un air taquin. Cet homme si sérieux a fait l'amour en pleine nature, avant de se marier.

— Ici, Étienne, c'est mon alcôve. Ici, je me suis senti un homme libre.

Ils continuent de traverser la clairière en oblique jusqu'à la lisière de la forêt dense de conifères en excellente santé.

— Et c'est ici même, sur ce lit de mousse qui se prolonge très loin dans le sous-bois, c'est ici, mon fils, que toi tu as été conçu.

Étienne est bouleversé par les propos de son père. Les hommes ne parlent habituellement de leurs amours que pour pavoiser à propos de prouesses que souvent ils n'auront jamais le courage d'exécuter. Mais lui, son père, Georges Bellefleur, lui parle de ses amours comme d'un secret fragile.

— Je me suis toujours dit qu'un jour, je te donnerais cette parcelle de terre.

— C'est à toi, tout ça ?

— Tu penses ! J'allais pas laisser à d'autres un pareil paradis. Je l'ai acheté le lendemain de mes noces. De la rivière jusqu'au grand chemin, deux kilomètres en aval, et en amont, jusqu'à un petit ruisseau qui se déverse dans la rivière. Je garde toute cette terre intacte ; certains arbres sont plus que centenaires, tu sais.

Étienne est saisi, pénétré par la majesté du paysage. Il se réjouit de la petite parcelle de bonheur que lui offre ce dimanche.

— Cette terre est à toi, si tu la veux. Puisque c'est ton rêve, tu peux y construire ta maison. Il y a que du bonheur sur cette terre, et c'était peut-être une prémonition que tu y aies été conçu. Je te la donne en cadeau de fin d'études.

Étienne est ému au point de ne pouvoir prononcer une seule parole. Comment dire merci pour un pareil cadeau ? Il prend son père dans ses bras, Georges le serre très fort contre sa poitrine.

Bruno a laissé Irène à sa solitude, il erre dans le village. Il arrive chez tante Alice.

— Je suis seul.

— Pauvre garçon, viens manger un biscuit, ça va te remonter.

... tante Alice mange pour se consoler... elle mange aussi pour me consoler... elle déverse sur moi toute la pitié qu'elle éprouve pour sa propre vie...

— Veille sur moi quand maman va mourir.

— Parle pas de même, mon pauvre garçon, ça porte malheur.

... le malheur approche en silence... Alice me protégera... elle est esclave de son indigence affective... me protéger lui donne le sentiment de vivre... remplit le vide causé par l'éloignement de ses propres enfants... ils n'ont plus besoin d'elle, moi, j'ai besoin d'elle... elle me protégera d'Étienne quand Irène m'aura encore une fois abandonné...

Bruno a scruté le regard d'Étienne depuis qu'il est rentré avec son père. Il ne supporte pas d'être gardé à l'écart, ne peut concevoir que les choses lui échappent : il doit tout savoir. Pour garder le contrôle nécessaire à sa mission.

... il se délecte de sa réussite... en secret... je vais pénétrer son silence... lui fouiller le cœur... et quand le destin s'abattra sur lui, quand la vie l'aura plongé au fond de l'abîme, je serai là pour contempler ce juste retour des choses... je suis le gardien de la mémoire...

Georges se présente au bureau de Charles Rousseau avec les relevés d'arpentage du Bois des songes. Charles doit préparer les papiers de cession pour la semaine prochaine, jour de la remise des diplômes. Charles Rousseau est l'une des rares personnes à connaître le Bois des songes, et surtout ce qu'il représente pour le couple Bellefleur. Ce lieu est beaucoup plus que ce que Georges a pu dire à Étienne. Cette parcelle de terre porte l'empreinte de toute sa vie. C'est à cet endroit précis qu'il s'était échoué quand il a failli se noyer en faisant la drave. Il avait dérivé sous les billots, s'agrippant, se faisant projeter sous l'eau, ressurgissant parfois, propulsé par la force du courant. Il se faisait bousculer, à la merci des *quilles* en débâcle, puis il avait échoué sur la grève, à demi inconscient. Quelques heures plus tard, il avait réussi à rassembler assez de forces pour se traîner jusqu'à la grande route où il avait finalement été recueilli par le postillon.

La vie a ses secrets, la nuit, ses ombres, mais la vie a besoin qu'on l'aide à se réaliser. Malgré que Charles

Rousseau ait nié la visite d'Irène, Georges l'a vue sortir de son bureau quand lui-même s'y rendait. Ce n'est pas dans les habitudes d'Irène de faire des cachotteries.

— Irène, y a-t-il quelque chose que t'aimerais me dire ?

Elle hésite.

— Tu m'as vue sortir du bureau de Charles, hein ? C'est un détail… Pas grand-chose. Je voulais juste léguer une peinture à Sophie Bouchard. Tu sais, l'amie d'Étienne.

— C'est tout ?

— Je lui ai légué aussi un peu d'argent pour ses études. Je me suis attachée à elle.

— C'est très normal, pourquoi faire autant de cachott… ? Légué ? Tu as dit légué ?

— …

— Irène, un legs, c'est après la mort.

Irène ne veut pas répondre. Ce n'est pas le moment, ni la façon qu'elle prévoyait révéler à son mari ce qui s'annonce pour elle. Mais son silence est encore plus inquiétant.

— Irène, qu'est-ce que tu me caches ?

— Ce qu'on redoutait le plus.

Georges passe son bras autour des épaules de sa femme, l'amour de sa vie. Il la serre contre lui. Elle s'appuie la tête sur la poitrine de son mari, la nuit les enveloppe dans leur chagrin. Ce que Georges redoutait le plus est là : Irène a eu une rechute. Il n'y a plus d'espoir possible. Elle le sait depuis plusieurs semaines. Et ce qu'elle est en train de réaliser par rapport à Bruno la tourmente. Si elle n'est plus là pour le freiner, qui sait jusqu'où la situation peut dégénérer.

Étienne entre dans la maison, il avance à pas furtifs, un rayon de lumière filtre sous la porte de Bruno.

… le poète est un être de chair… la berceuse du temps est l'espace de la déchéance…

Georges se rend compte comment l'essentiel a pu lui échapper. Pendant qu'il s'affairait à reconstruire pour la survie du village, pour l'avenir d'Étienne, sa femme peignait sur des toiles le mal qui lui rongeait les entrailles. Cette pensée le hante pendant toute la cérémonie de la remise des diplômes. Au cours du repas qui suit, qu'Alice a si bien préparé comme à l'accoutumée, Georges remet à Étienne les papiers de cession du Bois des songes. Au moins, son fils saura préserver les bons souvenirs des amoureux qu'ont été ses parents. Il lui remet l'enveloppe enrubannée.

— Je sais que t'en auras grand soin.

Il embrasse son fils. Cette fois, Étienne ressent une tristesse dans l'étreinte de son père. Il le regarde, Georges n'ajoute plus rien qu'un sourire dans lequel il tente de lui démontrer toute la fierté et toute l'affection qu'il éprouve à son égard.

Encore une fois, Bruno n'est pas dans les bonnes grâces de son père.

… le poète est un être de silence… la berceuse du temps suspend son balancement… le poète écoute le silence… le temps d'un soir, le temps d'un écho… la berceuse est immobile… son grincement n'est plus qu'une illusion… l'écho se répercute en relais parmi les mensonges… le bercement reprendra au gré du tumulte des eaux…

Sophie Bouchard parcourt les murs de l'exposition d'Irène. Elle lit le cartel près d'une toile. Deux lignes, *Occident*, à Sophie Bouchard. Ce don lui crée un véritable choc. Sophie est émue que cette artiste, qu'elle admire tant, l'estime au point de lui offrir un de ses tableaux. Aucune parole, aucun discours n'aurait davantage pu l'encourager à poursuivre sa démarche.

Georges suggère à Irène de s'asseoir, mais elle insiste pour rester debout, son verre à la main. Elle discute, explique, sourit, serre des mains, donne des bises. Georges s'inquiète, il sait bien que c'est le dernier sprint d'Irène, qu'elle aura tout au plus quelques mois avec lui. Pourvu qu'elle ne souffre pas trop.

Le conservateur de la galerie fait son boniment, il loue les talents de l'artiste, son évolution, la maturité de son œuvre. Les gens applaudissent Irène qui se présente devant le micro et adresse les remerciements habituels. La soirée ne tardera pas à finir. Irène est un peu portée par l'enthousiasme, mais Georges la sent fatiguée. Elle ne lui a pas donné de détails, il a respecté son silence, à cause de l'exposition, mais maintenant que le vernissage est sur le point de se terminer, il pourra savoir toute la vérité sur l'état de santé de sa femme. Combien de temps leur reste-t-il ensemble ?

La nuit est chaude, elle sent bon le lilas. Bruno monte à sa chambre, Irène et Georges restent un peu dehors. Irène aime respirer l'odeur de lilas. Elle en a fait planter tout le tour de la maison. Elle aime cette odeur, particulièrement dans la fraîcheur du soir. Ils s'assoient sur la balançoire. Bruno ferme sa porte à double tour, sa fenêtre est ouverte sur la nuit.

... berce-moi... respire les lilas que je sèmerai sur ta mémoire... j'entends ta voix dans la tendresse du soir... je sèmerai les lilas pour toi dans le courant de la rivière... et ta voix chantera éternellement dans le ruissellement de l'eau...

Georges prend le bras d'Irène. La balançoire bouge à un rythme régulier.

— Comment te sens-tu ?

— J'aime cette petite brise, l'odeur de lilas.

— Je veux dire ta santé ?

— C'est bon le printemps.

Irène aime particulièrement le mois de juin, après la crue des eaux, quand la rivière s'est remise de ses excès. Les lilas sentent jusque dans la maison, complètement entourée de ces arbres à fleurs mauves, comme une obi, une obi lilas. Et la balançoire sous les arbres de plus de trente ans est le lieu privilégié de l'artiste.

— Tu sais ce que j'aimerais avant de mourir ?

— Tout ce que tu voudras.

— Je voudrais aller en Égypte.

— Quand tu voudras.

— Faudrait pas tarder. Je voudrais voir le désert, sentir sa chaleur. On s'assoira aux portes d'une pyramide et là, tous les deux, Georges, on assumera ma mort prochaine. Après, on longera le Nil, en parlant de toi, on marchera dans l'odeur du désert, ce sera notre coda à nous deux. Puis les derniers jours, on montera goûter les douceurs de la Méditerranée. Comme un point d'orgue. Et après, on rentrera à la maison, et... ce sera la fin.

— Tout ce que tu voudras.

C'est tout ce qu'il peut dire. Georges Bellefleur est sous le choc. Sa femme vient de lui annoncer sa mort prochaine. Aucun retour possible.

Bruno a entendu ; il demeure flegmatique devant l'inéluctable.

… respire le lilas que je sèmerai sur ta mémoire… j'entends ta voix dans la tendresse du soir… et la berceuse scande le temps qu'il nous reste… bientôt, j'écrirai en temps réel… peut-être que j'écris déjà en temps réel… peut-être que la mémoire s'inscrit désormais au présent… on n'est jamais sûr du temps… le temps est un espace sans fond… une forme imprécise…

IV

ÉTIENNE MARCHE dans le Bois des songes en compagnie de l'architecte qui dessine sa maison. Il a promis à Lorraine que cette maison serait leur alcôve de bonheur. Quand elle sera prête. Étienne ne veut pas la bousculer, mais il a besoin d'inscrire son rêve dans son quotidien.

Bruno profite de l'absence d'Étienne, passe sous le nez de la secrétaire qui lui dit que son frère est absent.

— Je sais.

Il file dans le bureau, glisse un papier sur le pupitre d'Étienne et ressort aussitôt.

> *... la rivière scinde la terre, elle se fait un lit et toi, tu ronfles déjà... tu t'endors dans un sommeil douceâtre...*

Étienne est conscient qu'il a énormément à apprendre. Mais qui sent le besoin de lui remettre son incompétence sous le nez ? Quelqu'un a-t-il entrepris de l'intimider ? Qui ?

— Oh, excuse-moi, Étienne, j'ai oublié de te dire que ton frère est passé.

Étienne sent la rage monter en lui. Bruno va continuer à lui empoisonner l'existence. Il doit apprendre à mener une entreprise ; il doit tout connaître de cette scierie, jusque dans ses moindres détails avant de mériter le fauteuil de son père. Il le sait et n'a pas besoin des insinuations de son frère à l'esprit biscornu.

Étienne rejoint Rodney Jessop qu'il suit pas à pas dans l'usine pour se familiariser avec les méthodes, les nouveautés, le travail des hommes. Les employés doivent s'habituer à le voir, à le reconnaître comme le patron, même s'il est plus jeune que la majorité d'entre eux. Jusque-là, Étienne se sentait confiant, il assimilait son rôle à un rythme qui lui plaisait. Mais le voyage imprévu de ses parents bouscule un peu les choses : il devra diriger seul la scierie pendant deux semaines, ce qui le stresse déjà suffisamment, il n'a nul besoin que Bruno vienne accentuer son doute.

Georges rassure Étienne sur ses connaissances, beaucoup plus grandes que les siennes quand il a créé cette entreprise. Il avait à peine vingt ans et très peu de terres à l'époque; les propriétaires lui fournissaient la matière première. Et le père de Rodney Jessop lui avait enseigné tant de choses. Il aimait la forêt, il l'encourageait constamment. Il y avait déjà, entre Georges et le père de Rodney, entre Georges et Rodney lui-même, le germe qui engendrerait au fil des ans cette fidélité et surtout cette amitié presque fusionnelle. Georges met son fils en garde contre les imprévus. Il faut savoir transiger avec l'imprévu, le respecter, le traiter avec déférence. Comme le marin respecte la mer. Prendre les lames dans leur croissant pour éviter qu'elles vous fracassent contre les écueils.

Étienne écoute attentivement son père lui parler de turbulence, de mer, de vie. Il comprend, il accepte. Ces deux semaines lui donneront une idée de son futur rôle. Quand il sera le seul patron, quand son père se retirera définitivement de l'entreprise.

Georges prépare le dernier voyage d'Irène. Il a précisé ses directives à l'agente de voyage : tout en première classe, des hôtels cinq étoiles, un chauffeur-guide privé au moment de l'arrivée, jusqu'au dernier instant du retour, toujours le même si possible, qui comprend le français ou l'anglais. Ça coûtera ce que ça coûtera. Georges ne veut pas de risques inutiles, pas de surprises. L'agente a été mise au courant de la situation particulière, elle s'en porte personnellement responsable, elle a l'habitude. Ils partiront pour deux semaines. Au retour, il sera grand temps de dire aux garçons que leur mère n'en a plus pour longtemps, qu'elle ne verra même pas Noël.

Georges doit aussi refaire son testament. Au cas où il arriverait quelque chose. Son expérience de l'année dernière l'incite à la prudence. Il demande à maître Rousseau de préparer un document provisoire dans lequel il choisit Étienne comme légataire universel. À son retour, il y ajoutera tous les détails, mais pour l'instant, le document sert de protection. Et si jamais le pire arrivait, Georges compte sur son ami, Charles Rousseau, pour guider son fils.

L'après-midi tire à sa fin. Étienne a cette masse lourde au fond de l'estomac qui s'amplifie depuis le midi. Une sorte de trac l'oppresse à la pensée de se retrouver seul responsable de l'usine pendant l'absence de son père. Il va se réfugier près de la rivière. Il s'assoit sur la grève, au même endroit où, il y a quelques mois à peine, son père lui offrait de reprendre sa liberté. Se serait-il trompé de route, s'est-il laissé prendre par les émotions du moment ? Il fixe le pin sur l'autre rive, le pin planté par son père. Si cet arbre majestueux a protégé l'enfant de la noyade, saura-t-il préserver l'adulte de son destin ? À l'idée de la responsabilité qui lui incombe, il éprouve un vertige qui l'oblige à s'étendre un moment. Il ferme les yeux. Quoi qu'il en pense, ses parents partent demain et il devra gérer la scierie. C'est peut-être un vertige normal, se dit-il enfin.

Il est tard. Georges et Irène sont partis en après-midi. Étienne est seul, il se retrouve encore une fois responsable de son frère. Un filet de lumière, sous la porte fermée à clé, comme à l'accoutumée.

... l'Orient... pour se lever avec le soleil et voir le monde avant les autres... illusions... songes... le soleil se lèvera, ce jour-là, sur la rive ouest de la rivière... désormais la berceuse conjugue le temps dans l'espace de fin du monde... et je crée le début d'un autre monde... le présent est le temps universel...

Bruno est sorti du garage cet après-midi, il a regardé la Cadillac s'éloigner, il n'a pas dit au revoir à sa mère, il s'est laissé embrasser par elle, sans bouger, sans dire un mot. Irène s'est sentie coupable, un instant, un court instant seulement puisque son véritable abandon aura lieu plus tard à l'automne. Georges a jeté un regard de mépris sur son fils, sur ses mains souillées de noir. Il y a longtemps que Bruno ne peut plus susciter la culpabilité de Georges, surtout depuis la cérémonie d'ouverture. Georges n'a pas pu poursuivre ses démarches le concernant, la vie a été trop rapide. Bruno regardait la voiture s'éloigner en essuyant ses mains sur son pantalon. Étienne reste à la maison, il veille au bien-être de la compagnie. Cette fois, c'est Hermel Violette qui a conduit ses parents vers leur ailleurs.

Étienne regarde sa montre, Hermel Violette devrait être de retour. Sa voiture est encore devant la porte. En attendant le chauffeur, Étienne lit *Les eaux brisées*. Inquiet, comme une mère qui attend son enfant quand il se fait tard. Il lit le recueil qu'il n'avait pas ouvert depuis longtemps, depuis le printemps, en fait. Il était si occupé.

... l'eau brisée... comme la vie qui se fracasse sur les écueils... comme un rêve éclaté... un rêve surpris par la lueur du jour... émietté par les promesses d'un autre rêve...

Étienne se sent nostalgique, ce soir. C'est la première fois depuis son dernier examen qu'il s'assoit dans ce bureau. Il tourne les pages du recueil.

On sonne à la porte. Il jette un œil par la fenêtre : une voiture de police est stationnée dans la cour, tous feux et moteur éteints. Étienne va ouvrir, le cœur battant la chamade. Un policier chez vous en pleine nuit ne peut être qu'un oiseau de malheur.

— Étienne Bellefleur ?

— Oui.

— Sergent Ouellette.

Étienne attend.

— Je peux entrer ?

— Qu'y a-t-il ?

Le policier insiste pour entrer, Étienne l'amène dans son bureau, seule pièce éclairée en ce moment. Sauf la chambre de Bruno, comme chaque nuit. Bruno qui écrit, comme chaque nuit.

... Judith est venue, Judith est repartie... une dernière fois... dans le soleil d'un après-midi de septembre, elle n'a laissé derrière elle que l'absence de son corps qui lui brûle la cervelle... Étienne n'a pas su la retenir... il y avait Lorraine, il y avait la promesse... mais Lorraine est à moi... Étienne n'a pas su le voir... Judith ne lui a laissé que la brume d'automne qui sillonne dans ses débris de rêve...

Bruno a entendu la sonnette de la porte, il entend des voix au rez-de-chaussée. Il prête l'oreille. Deux voix d'homme, Étienne et quelqu'un d'autre. Au beau milieu de la nuit.

— Vous êtes seul?

— Mon frère est dans sa chambre.

— Faites-le descendre.

— Il est handicapé mental...

Étienne entend ses propres paroles lui résonner aux tempes, comme si quelqu'un d'autre avait spontanément prononcé les mots à sa place. Il n'a jamais dit ouvertement que Bruno est handicapé mental. Il éprouve le sentiment étrange que le destin vient d'entrer chez lui, que cet agent de la paix s'apprête à semer le désordre, à bouleverser le cours de son existence.

— Qu'est-ce qu'il y a, sergent?

— Vos parents ont eu un accident.

— Où sont-ils?

— Vous pouvez plus rien faire.

— Où sont-ils?

— À Rivière-du-Loup.

Étienne est déjà debout, prêt à partir. Le sergent Ouellette le retient dans son élan.

— Monsieur Bellefleur... vos parents... ils sont morts.

Étienne s'effondre sur sa chaise. Bruno retourne à son écriture.

... un avion vole vers Paris... en première classe, deux places sont restées vides... deux cadavres n'ont pas pris l'avion pour Paris... Occident... deux cadavres ne verront pas l'Orient...

— Sur la route 185. La voiture semble avoir dérapé.

— Semble?

— L'enquête nous le dira.

— Ils étaient à une heure de route cet après-midi. Comment se fait-il que j'apprenne leur mort à deux heures de la nuit ?

— Parce que cet accident est très problématique.

— Le sont-ils pas tous ?

— Il y a aucune trace de pneus sur le pavé.

La route 185. Le tristement célèbre corridor de la mort. Étienne fixe la chambre de Bruno, cette lueur sous la porte. Est-il condamné à cette lueur qui glisse chaque nuit sous la porte de son frère ? Son père, sa mère sont morts. S'il les avait conduits lui-même à Québec, peut-être seraient-ils encore vivants. Ou Étienne serait-il mort avec eux ? Hermel Violette est-il décédé dans l'accident ? Plein de la perte de ses propres parents, il a oublié Hermel Violette, le chauffeur, celui par qui la mort est venue. Conduisait-il trop vite ? A-t-il commis une imprudence ? perdu le contrôle de la voiture ? Elle a dérapé. Aucune trace de pneus, la voiture aurait-elle manqué de freins, cette voiture toujours si bien entretenue ? Étienne frissonne à l'idée d'avoir échappé à la mort, pire, à l'idée qu'il aurait pu causer la mort de ses parents. Dans quelques heures, il ira identifier le cadavre de son père, celui de sa mère, et peut-être celui d'Hermel Violette. Et Bruno, comment apprendre un tel drame à Bruno ? Que fera-t-il, lui, sans Irène ? Étienne va lui laisser une dernière nuit avec l'illusion de sa mère vivante, la laisser vivre quelques heures encore dans l'esprit fragile de son frère. Mais lui-même, Étienne, que fera-t-il sans son père ? Il n'a pas, comme lui, un Rodney Jessop à qui se confier.

Alice entre chez les Bellefleur comme si elle entrait chez elle. Elle doit venir chaque jour pendant l'absence de son frère, elle doit veiller sur Bruno, elle l'a promis à Irène.

Elle fera les repas, le ménage, le lavage, comme au temps où sa belle-sœur ne pouvait pas se passer de ses services. Alice est heureuse de faire tout cela, surtout de veiller sur son filleul. Elle aperçoit Étienne endormi tout de travers, sur le divan du salon. Il est encore habillé, les chaussures aux pieds. Elle lui secoue l'épaule.

— Étienne, il passe huit heures !

Il sursaute.

— Ma tante ?

— Tu devrais coucher dans ton lit, mon petit garçon, tu dormirais mieux.

— Ma tante…

— O.K., O.K., je dis pus rien.

Étienne n'est pas certain d'avoir fait un cauchemar. Il voit la lumière de son bureau encore allumée.

— Ma tante…

— Va te laver pendant que je te fais à déjeuner.

Alice est déjà à la cuisine. Étienne regarde son verre vide sur la table du salon, il reste un fond de scotch, son cauchemar est réel, il n'a pas rêvé. Un *imprévu*, comme lui disait Georges avant de partir mourir sur la 185. Sous la douche, il essaie d'imaginer son avenir. Georges avait-il prévu, lui, le forgeur de destins, des mesures pour aborder cette nouvelle réalité ? Il faudra l'annoncer à Bruno, le ménager le plus possible, l'annoncer à Alice, aux hommes. Ils ignorent, eux, les employés de Bellefleur et fils, que leur nouveau patron est véritablement entré en fonction la nuit dernière.

Étienne arrive à la cuisine. Il entreprend aujourd'hui la journée la plus pénible de sa vie. Alice le bouscule presque à table.

— Ma tante…

— Dépêche-toi, mon garçon. Ton père serait pas content de savoir que tu flânes à la maison à neuf heures du matin.

— Ma tante…

— Crains pas, je dirai rien, j'irai pas *porter les paquets*. Si t'en prends pas la mauvaise habitude…

Étienne monte le ton.

— Alice!

Elle reste clouée sur place. Un filon d'angoisse passe dans ses yeux. D'une voix sourde :

— T'as dit ça pareil comme Romuald.

Le souvenir de son défunt mari est la seule chose qui pouvait saisir Alice au point de la faire taire. Elle se sent responsable de Bruno, du retard d'Étienne, Alice se sent responsable de tout dans cette maison.

— Ma tante, j'ai quelque chose d'important à vous dire… Venez vous asseoir.

Avec un geste d'insistance, Étienne tire la chaise et lui fait signe de s'asseoir. Encore sous le choc, elle obéit à son neveu. Il lui annonce la nouvelle. Elle écarquille les yeux, se couvre la bouche de ses mains, se met à trembler. Étienne craint qu'elle fasse une crise de nerfs ou une syncope. Il prend les deux mains de sa tante, fermement pour mieux dominer sa propre fébrilité. Le téléphone sonne. Étienne se lève, aperçoit Bruno dans la porte de la cuisine. Il aurait tant voulu l'épargner. Il passe près de son frère, lui serre affectueusement les épaules et court répondre au téléphone. Alice prend Bruno dans ses bras et fond en larmes. Ils se consoleront mutuellement pendant qu'Étienne ira identifier les corps à Rivière-du-Loup.

Étienne arrête à l'usine, la secrétaire lui apporte son café, comme chaque matin. C'est la première fois qu'il le remarque. Parce qu'avant, elle apportait le café de Georges et par la même occasion, le sien. Mais ce matin, Georges n'est pas là.

— Merci, Béatrice.

— T'as l'air éméché, ce matin, patron.

Elle l'appelle ainsi pour plaisanter, Étienne le sait. La secrétaire l'aime bien, elle aime le taquiner, elle le connaît depuis qu'il est enfant et l'a toujours trouvé si charmant. Il s'est établi une nouvelle complicité entre les deux. Le respect demeure, mais la fidèle secrétaire de Georges a une affection particulière pour son jeune patron.

— La nuit a été mouvementée.

— ...

— Faut bien que jeunesse se passe.

— Béatrice, viens ici, s'il te plaît. Ferme la porte.

Au ton d'Étienne, Béatrice se dit qu'elle en met peut-être trop. Normalement, il aurait ajouté son grain de sel, ils auraient ri un peu. Elle ferme la porte, hésitante. Étienne avale la boule qu'il a dans la gorge depuis la nuit, mais il a beau avaler, la boule reste là. Il ne pourra pas ménager Béatrice, pas plus que Bruno et Alice, pas plus que le sergent Ouellette l'a ménagé, lui. Il n'y a pas de belle façon d'annoncer la mort.

— Béatrice, mon père est mort.

À la morgue, Étienne voit le drap blanc se lever sur le corps mutilé de son père.

— Oui, c'est lui. C'est mon père, Georges Bellefleur... C'est elle.

Dans ses rêves, Étienne reverra souvent le drap blanc se lever. Il verra une main lever le drap blanc, sans cesse, jusqu'à ce qu'il se réveille en sueur.

En sortant de la morgue, il croise la femme d'Hermel Violette, il ne la connaît pas, mais ce doit être elle. Le bulletin de nouvelles a annoncé trois morts. Hermel a été tué lui aussi. Ce doit être son épouse, oui, il l'entend s'identifier. Étienne se retourne spontanément pour mieux la voir, les regards se croisent, elle baisse la tête. Étienne détourne les yeux, chacun reste dans son deuil personnel. Étienne et Géraldine Violette poursuivent chacun leur trajectoire de marche, chacun doutant que l'autre soit responsable de la mort de son être cher.

Bruno accomplit son rituel matinal dans la rivière, puis il remonte la pente, rentre à la maison. Au lieu de se rendre directement à sa chambre comme c'est son habitude, il va dans le bureau d'Étienne, ouvre l'ordinateur, le courriel et cherche l'adresse de Judith dans les contacts. Il ferme le tout et monte à sa chambre. Il n'en sortira pas. Il ne mangera pas. Il écrit à Judith pour lui annoncer la mort de ses parents, l'incite à venir donner son appui à Étienne qui sera trop orgueilleux pour lui demander. Bruno ferme ses rideaux. La prochaine nuit sera longue pour lui.

Dès son retour en ville, Étienne se rend chez Charles Rousseau qu'il retrouve encore atterré par la nouvelle. La mort de son ami Georges le plonge dans une profonde tristesse, mais l'avocat sera d'un grand secours pour le fils, en ce moment si démuni. Il l'encourage, lui donne les directives laissées par son père. Les obsèques sont laissées à sa discrétion. Georges n'a qu'une demande : être enterré près d'Irène dans le cimetière de Sainte-Croix. Étienne fera ce qu'il faut pour rendre un dernier hommage à ses parents.

Lorraine joint Étienne sur son cellulaire et l'invite à souper chez elle. Sa tendresse adoucit sa douleur pendant quelques heures.

En milieu de soirée, Étienne rentre enfin à la maison. La journée a été longue et pénible, mais tout est organisé. Alice peut rentrer chez elle, il s'occupera de Bruno, enfermé dans sa chambre.

... t'en souviens-tu, Étienne, qu'il te faut payer le crime... ton jugement approche... la justice se prépare... déjà elle a vêtu sa longue toge noire... ce matin, tu soulevais le linceul de la mort sur le corps de ma mère... ce matin, tu disais c'est elle, c'est bien elle que j'ai tuée... je l'ai tuée en venant au monde... en lui déchirant les entrailles... n'y laissant que la pourriture d'un cancer... pauvre Étienne, et tu rêvais de l'écrire... de te libérer par l'écriture de ton meurtre... comme si confesser ton meurtre te libérait de ta responsabilité... mais, Étienne, nommer les choses ne les font pas disparaître... nommer les choses les concrétise, les inscrit dans l'éternité... dans l'éternité, Étienne...

L'aube se lève dans le ciel de Sainte-Croix. Bruno prend quelques heures de sommeil bien méritées avant de descendre en ville. Il insiste pour se rendre à la galerie d'art. Étienne ne peut refuser à son frère d'aller se recueillir devant les œuvres d'Irène. Si ça peut l'aider à être calme pendant les prochains jours, il n'en aura que la tâche plus facile.

Étienne dépose Bruno à la galerie et se rend au salon funéraire. Il veut s'assurer qu'il a fait les bons choix, hier, malgré son esprit brumeux. Le directeur l'accueille, le conduit dans la salle de veille et reste un peu en retrait. Les deux cercueils sont ouverts, disposés en V. Ses parents reposent tête à tête. Étienne approche des cercueils, admire les oiseaux du paradis qui ornent chacun d'eux. Il lui semble que sa mère et son père se sont envolés comme des oiseaux, au paradis. Même s'il ne croit pas à cet au-delà, l'histoire est belle, réconfortante. Il imagine une légende avec des oiseaux qui reviendront frôler la rivière de juin quand les lilas embaumeront l'air de nouveau. Chaque printemps, ils reviendront mouiller leurs ailes dans la rivière, pour atténuer le silence que ses parents laissent derrière eux, le rendre plus supportable. Et lui, Étienne, il fera jaillir les étincelles de son champignon magique. Comme durant son enfance, sa mère alimentait son imaginaire, il alimentera la légende de son champignon magique et les oiseaux du paradis viendront le consoler, chaque mois de juin.

Tout est fin prêt pour la soirée de veille. Étienne remercie le directeur. Comme il quitte le salon pour se rendre chez Lorraine, son cellulaire sonne.

— Allô... Qui?... Qu'est-ce qu'il a fait?... J'arrive.

Il se précipite au poste de police. Bruno a été arrêté pour vandalisme sur les œuvres de l'exposition. Il a été surpris par le gardien à mettre de la peinture rouge sur les œuvres d'Irène. Deux tableaux sont ruinés. Le policier raconte à Étienne que le gars a rien dit. Pas un son. On le croit muet.

— Il nous a montré un papier avec un numéro de téléphone, pis c'est toi qui as répondu. Le connais-tu?

— C'est mon frère.

— Est-ce qu'il est muet?

— Quand ça l'arrange.

Étienne demande à Bruno d'expliquer son geste. Pour toute réponse, il lui montre ses mains menottées, souillées de peinture rouge. Étienne est sidéré. Pourquoi Bruno a-t-il détruit les œuvres de sa mère ? Irène, la seule personne que Bruno aime, respecte, la seule personne à qui il n'a fait aucun mal. Malgré l'insistance d'Étienne, Bruno se terre dans son mutisme. Il se replie dans son monde, il n'en sortira pas. Étienne le voit à ses yeux hagards, il connaît le stratagème. Il croyait Bruno dans de meilleures dispositions depuis le printemps. Il n'avait pas vraiment remarqué l'isolement presque total de son frère ces derniers temps, trop occupé qu'il était à chérir son nouveau rêve. Il croyait que son frère aîné avait enfin abandonné le plaisir de lui gâcher la vie. Il regarde Bruno. Il avait cru que la vie serait enfin possible, il partirait dans moins d'un an s'établir au Bois des songes, il se croyait sur le point d'être libéré de lui. Pourquoi s'acharne-t-il ainsi ?

Étienne explique au policier la situation dans laquelle il se trouve, la mort de ses parents. Le policier est au courant de l'accident. Étienne lui affirme qu'à moins que Bruno ait vandalisé des tableaux déjà vendus, personne ne portera plainte. Il se porte garant de son frère, mais il doit le ramener avec lui, il doit être au salon funéraire ce soir. Le policier consulte son supérieur et reçoit l'autorisation de laisser partir Bruno.

Le salon funéraire est bondé. Aligné avec les frères et sœurs de Georges et d'Irène, Étienne, le premier près des deux cercueils, reçoit les condoléances. Bruno est assis près de lui. Il n'a pas dit un mot, il ne répond pas aux gens qui lui adressent la parole. Il se contente de les regarder avec ses yeux vitreux, son air effacé. Les oncles et les tantes qui l'ont vu depuis un certain temps s'émeuvent devant le supplice qu'a dû endurer Irène. Tous les médecins ont abandonné son cas, un après l'autre, sauf le docteur Sivret qui prescrit encore quelques médicaments pour régulariser ses humeurs.

Bruno se lève, sort de la pièce. Frédéric le suit. Étienne a demandé à son ami de garder un œil constant sur son frère. Ne pas le laisser commettre d'autres frasques, surtout pas au salon funéraire. Frédéric suit Bruno, l'intercepte devant l'entrée de la salle où se trouve le cercueil d'Hermel Violette. Frédéric lui prend fermement le bras, se place carrément devant lui pour lui bloquer le passage, le regarde droit dans les yeux. Frédéric n'a aucune hésitation, ni dans le regard, ni dans le geste, ni dans la voix. Il parle d'un ton ferme, avec une autorité qui ne permet aucune riposte.

— Toi, tu t'en viens avec moi.

Bruno fait un geste pour signifier qu'il veut uriner. Frédéric l'entraîne aux toilettes, et l'attend, planté bien droit près de l'urinoir. Bruno n'a aucunement envie d'uriner, mais Frédéric est patient. Il l'attend sans broncher, comme un garde du corps. Il ne laissera pas tomber Étienne. C'est son ami. Et puis, l'endroit commande un certain respect. Frédéric ne comprend pas la maladie de Bruno, mais la méthode fonctionne, et Bruno revient dans le salon avec lui. Il avance près des cercueils de ses parents. Étienne jette un œil, il voit que Frédéric ne le lâchera pas d'une semelle.

Plus qu'une demi-heure avant la fermeture. Les gens circulent au gré des conversations. Du fond de la salle, Étienne aperçoit deux silhouettes debout, dans l'embrasure de la porte. Il est sidéré : Judith et Clothilde sont là. Elles avancent jusqu'aux cercueils, s'agenouillent. Étienne, paralysé, reste cloué au plancher. Déjà accablé par son chagrin, fatigué par les exigences des derniers jours, il n'a plus d'énergie pour dominer la fébrilité qui l'envahit. Mais il lui faut réagir, et vite. Les deux femmes se relèvent, offrent leurs condoléances aux membres de la famille assis dans les premiers fauteuils à proximité des cercueils. Judith et Clothilde arrivent au bout de la file, Étienne marche enfin à leur rencontre. Judith le prend dans ses bras, le serre très fort, en lui exprimant toute la tristesse qu'elle éprouve devant le drame. Étienne la remercie, mais ne lâche pas son étreinte. Frédéric, tout près, ne connaît pas cette fille, mais il se rend compte que le moment est exceptionnel. Il remarque le tremblement d'Étienne, la satisfaction sur les lèvres de Bruno qui fait un signe de la main à Lorraine qui répond par un sourire discret et marche vers eux. Frédéric tire le bas du veston d'Étienne pour attirer son attention. Étienne se redresse, mais ne peut enlever ses yeux de Judith. Il lui présente enfin l'étrangère, juste au moment où Lorraine arrive près de lui. Il poursuit dans son élan.

— Tu te souviens de Lorraine?

— Certainement.

Les deux rivales se donnent la main, pas d'accolade. Judith est plutôt mal à l'aise, incertaine de ce que Lorraine sait et de ce qu'elle ignore. Lorraine est traversée d'un pincement de jalousie.

— Les Laurentides te font du bien.

Judith ne sait trop comment prendre la remarque. Ce qui pourrait être un compliment lui semble une pointe acerbe. Elle se contente de remercier et de retourner le compliment à Lorraine.

— Toi aussi, tu as l'air en pleine forme.

Le malaise est interrompu par tante Alice qui invite les gens à réciter une dizaine de chapelet avant la fermeture. Tous se rassemblent devant les cercueils.

— Mystère douloureux, l'agonie de Jésus au jardin des Oliviers. Je vous salue Marie…

Étienne aimerait bien, comme Alice, croire à ces prières, souffrir dans la naïveté, une souffrance sincère, identifiable, presque tangible, une souffrance qu'on peut nommer, au lieu de cette angoisse d'appréhension et d'inconnu. Aujourd'hui, Étienne doute de tout : de lui, de son avenir, de sa relation amoureuse, il doute même de l'existence de Dieu. Judith croit-elle à cette « Sainte-Marie, mère de Dieu » ? Lui, Étienne, ne croit qu'à la mauvaise grâce du destin… « Gloire soit au Père »… qu'aux vicissitudes de la vie.

Les gens sortent du salon, Étienne s'approche des cercueils. Il regarde son père. Il aurait tant voulu vivre longtemps près de cet homme, le rendre fier de lui et même veiller sur ses vieux jours. Ses enfants ne connaîtront pas leur grand-père, comme lui qui a tant aimé le sien, son grand-père Bellefleur. Étienne se tourne vers sa mère ; les traits paisibles de la mort sur son visage lui tirent les larmes. Bruno s'approche. Frédéric reste à l'écart, mais le plus près possible, il s'attend à tout en ce moment particulièrement émouvant.

Le bruit diminue dans le corridor à mesure que les gens quittent. Il ne reste que le murmure de quelques voix, les oncles et les tantes qui s'attardent en discutant. Étienne ne peut détacher les yeux du cadavre de son père. Il pense au *Blues du business man*. Cette chanson lui revient constamment à l'esprit depuis qu'il s'est soumis à l'exercice de choisir les vêtements pour habiller ses parents dans leur tombe. Devant la penderie ouverte, il réfléchissait en regardant les vêtements bien alignés. Il avait choisi un habit marine très foncé pour son père, pour lui donner toute la prestance de son rang. La chemise, la cravate assortie, les sous-vêtements, tout ce qu'il fallait. Comme s'il allait rencontrer un ministre. C'était relativement simple de choisir les vêtements de son père ; pour sa mère, c'était plus délicat. Alice lui avait offert son aide, mais Étienne préférait le faire seul, comme un geste d'adieu. Il passait en revue toutes les robes de sa mère, voulait en choisir une qui lui donne un air serein, décontracté. Qu'elle soit dans sa mort l'artiste et non la femme du businessman. C'est à ce moment-là que la chanson s'était imposée. Combien de gens ont le loisir de choisir leurs rêves, de les réaliser ? Comme pour prolonger l'événement, l'éterniser dans sa mémoire et le revoir, certains jours, quand il sera triste, Étienne a choisi la robe qu'Irène portait à son dernier vernissage. Quand il aura besoin de se faire consoler, il pensera à sa mère, le jour où elle avait porté cette robe. Étendus sur le lit, ces vêtements de vivants sont désormais l'habillage de la mort. Étienne est resté longtemps recueilli devant ces vêtements inertes sur un lit désormais vide, dans la chambre silencieuse, la porte close sur sa solitude. *Le blues du business man*. Où avait-il trouvé la force à ce moment-là pour décider lesquels des vêtements de son père, de sa mère, deviendraient leur linceul ? Il les a rangés dans deux housses en s'assurant qu'aucun faux pli ne se forme pendant la route, si courte soit-elle, entre la vie et la mort.

Étienne pose une main sur les grosses mains trapues de son père puis sur le front de sa mère. Il jure sur l'âme de ses parents qu'il agira en fils honorable et fidèle. Il sort du salon.

Dans le corridor, il ne reste que Lorraine et Sophie. Frédéric a suivi Bruno jusqu'à la voiture. Du côté des Violette, la lumière est éteinte. Lorraine informe Étienne que son oncle Victor l'attend au bar de l'hôtel où il loge.

Le bar est plein. Presque tous les clients sont de la parenté, à l'exception de quelques inconnus. Étienne fait le tour de chacune des tables pour présenter Lorraine à ses oncles et tantes qui n'ont pas eu l'occasion de la rencontrer au salon. Il présente ensuite Sophie et Frédéric. Ce dernier ne déroge pas de sa mission et garde constamment un œil sur Bruno. Étienne présente aussi à ses amis sa cousine Lisette et son mari. Lisette les invite à s'asseoir avec eux. Étienne jette un œil pour voir où est Bruno, Frédéric lui indique d'un geste de la tête. Alice l'a pris en charge, ils sont assis avec Clothilde, Judith et la tante Jacinthe. Victor s'est levé avec son verre — laissant sa place à Bruno — et s'approche d'Étienne.

— On peut se parler ?

Lorraine, Frédéric et Sophie s'assoient avec Lisette, et Étienne suit son oncle à une table un peu à l'écart. Victor s'informe de la situation en général, offre son aide. Étienne feint que tout va bien.

— Bruno ? C'est qui, ce garde du corps qui le suit partout ?

Étienne explique à Victor, lui raconte l'incident de la galerie. L'oncle en est horrifié, il ne dit pas tout haut ce qu'il pense : « qu'il te ferait interner ça, assez vite qu'il aurait même pas le temps de cligner de l'œil, le Bruno ». Néanmoins, il insiste pour savoir si Étienne se sent à l'aise de se retrouver seul avec l'énergumène. Étienne confie à son oncle que ses plus grandes préoccupations sont du côté des affaires. Il se sent très démuni devant la responsabilité de mener tout seul cette grosse barque. Victor lui offre son appui, c'est surtout ça que le conseiller financier veut dire à son neveu ce soir : Étienne peut compter sur lui, sur ses conseils.

Les funérailles sont prévues à onze heures. Étant donné les cinquante kilomètres qui séparent Sainte-Croix de la ville, aucune visite n'a lieu au salon funéraire aujourd'hui. Un peu avant l'heure, deux corbillards noirs entrent dans la cour de l'église du petit village. Douze hommes, des travailleurs de l'usine qu'on reconnaît à leur casque dur, avancent jusqu'aux voitures. En deux groupes de six, ils portent les cercueils dans l'église. Étienne reçoit les cercueils de ses parents, identifiés par leur nom respectif qu'il a fait graver discrètement, à même le bois, à la tête de chacun. De nombreuses personnes viennent offrir leurs condoléances à la famille Bellefleur. L'église est maintenant pleine à craquer, plusieurs doivent rebrousser chemin. Les portes centrales sont restées ouvertes. Étienne voit des gens qui arrivent encore, à pied. Ils ont dû stationner ailleurs.

Le curé demande à tous de prendre place pour la cérémonie. Six travailleurs de l'usine empoignent le cercueil de Georges et le mettent sur leurs épaules. Les six autres se placent aux côtés de celui d'Irène. L'orgue entonne l'*Ave Maria*, le cortège funèbre se met en branle. Il progresse dans l'allée centrale, entre deux haies d'hommes, endimanchés. Les employés de Bellefleur et fils ne croyaient devoir porter sitôt leur casque dur avec leurs habits du dimanche. En tout cas, pas deux fois la même année. On entend des sanglots étouffés dans la haie des travailleurs. Certains laissent échapper une larme, surtout parmi les plus âgés ; les plus jeunes, fiers et orgueilleux, se tiennent la tête droite, les épaules bien carrées, l'air solennel comme des soldats en service. Ils regardent défiler le « coffre » de leur patron qui avance derrière celui de sa femme, madame Irène. Étienne suit la dépouille de ses parents, Lorraine à son bras ; Bruno derrière lui, aux côtés d'Alice, Frédéric n'est pas loin, Victor non plus. Il connaît l'anecdote du parfum aux funérailles du curé Brisebois, Alice la lui a racontée, Étienne a confirmé. Victor a pris discrètement la relève de Frédéric pour la durée de la messe, Georges aura son *Libera* comme il l'aurait voulu. Et Irène n'aura pas à subir un dernier affront de son fils malade.

— Au nom du Père et du Fils et du Saint-Esprit…

Les ouvriers de la scierie restent debout dans l'allée durant toute la messe, les portes sont restées ouvertes afin de permettre aux gens demeurés à l'extérieur — ils sont au-delà d'une centaine — d'entendre la célébration.

— Notre Père qui êtes aux cieux…

Une atmosphère très solennelle imprègne la cérémonie. Est-ce à cause des chants grégoriens ? de la tragédie ? de l'inquiétude des villageois qui craignent pour l'avenir de la scierie ? Une chose est sûre : la mort de Georges et d'Irène Bellefleur est un événement tragique pour le village de Sainte-Croix qui perd deux de ses personnalités les plus importantes.

Le curé Boudreau prie une dernière fois pour le repos de l'âme d'Irène et de Georges Bellefleur.

— *Amen.*

Accompagné par le *Panis Angelicus*, le cortège funèbre sort de l'église. Étienne est sidéré de constater la foule à l'extérieur, qui se scinde en deux et donne l'étrange effet d'une vague qui s'ouvre pour laisser passer les deux cercueils. Étienne reconnaît certains visages : des collègues, des professeurs, son professeur de droit administratif, celui qui l'a guidé dans la rédaction de son mémoire. Le cortège défile jusqu'au cimetière. Étienne l'a voulu ainsi, il tenait à conduire ses parents jusqu'au bout, Alice l'en a même remercié.

Le prêtre récite les dernières prières et les cercueils descendent lentement en terre. La foule se retire vers le Club d'âge d'or. Étienne s'attarde un peu, Lorraine l'accompagne dans sa douleur. Étienne se retourne brusquement à l'idée de perdre Bruno de vue. Mais il est là, sous la surveillance de Frédéric.

Le Club d'âge d'or se remplit. Jacqueline Rousseau s'est occupée de la réception. Elle a embauché son traiteur, le meilleur en ville, une réception de classe. L'hôtesse a insisté pour qu'on porte une attention particulière aux employés de l'usine. Clément Castonguay prend un troisième verre de vin que lui offre un serveur en gants blancs, il fait un clin d'œil à Lyzé Thibault et fait cul sec.

Béatrice s'approche d'Étienne, il la serre dans ses bras, la remercie d'avoir tenu la barque pendant son absence. Elle lui demande de lui présenter Jacqueline Rousseau. C'est elle, Béatrice, qui aurait dû s'occuper de la réception de son patron.

— C'est une grande amie de ma mère. Et toi, t'en avais plein les bras. Viens, je vais te présenter.

Lorraine et Lisette discutent, Sophie se tient à l'écart avec quelques étudiants en arts. Frédéric arrache un tube de peinture rouge des mains de Bruno, il le passe discrètement à Sophie qui l'enfouit dans son sac. Bruno va s'asseoir avec Lorraine, se colle contre son épaule. Il regarde Lisette.

— Lorraine va venir vivre à la maison. Elle a promis.

Lorraine retient son exaspération. Elle s'excuse et fonce vers les toilettes.

Étienne cherche Judith au milieu de la foule. Il ne la voit pas. Ni elle ni Clothilde. Il aurait dû les inviter personnellement. Trop occupé, il n'a pas eu l'occasion de s'approcher d'elles. Charles Rousseau le tire à l'écart.

— Faudrait retenir Victor quelques jours, pour la lecture des testaments.

— Seulement Victor ?

— Les autres sont tous proches. La petite Bouchard, j'ai entendu dire qu'elle part pour Ottawa ?

— Sophie ? En août seulement. Pourquoi Sophie ?

Charles sort un papier de sa poche de veston, la liste des héritiers de Georges et d'Irène. Il remet la liste à Étienne, ces personnes devront être présentes à la lecture.

— Demain, afin de pas retarder trop Victor. Il doit être très occupé.

Étienne veut être au fait de ce qu'il adviendra de Bruno. Il ne pose pas la question, l'endroit est mal choisi. À vrai dire, sa préoccupation, dans l'immédiat, c'est de savoir où est Judith.

Étienne invite ses oncles et tantes à la maison pour un dernier verre avant de descendre en ville. Il a besoin de sentir la présence de ses proches, de ne pas se retrouver seul avec Bruno. Même si Lisette et son mari sont là, il tente de retarder le plus possible le moment où il fera face à sa nouvelle réalité : plus il y aura de monde, moins il y aura de vraies discussions. On réveille des souvenirs, on rit à l'occasion. Ça circule, du patio au salon et du salon au patio. La soirée est magnifique. Maître Rousseau fait le tour des héritiers pour leur donner rendez-vous à son étude. Puis, quand le moment leur semble bien choisi, Charles et Jacqueline Rousseau saluent tout le monde et rentrent chez eux. Le signal de départ est ainsi donné pour tous les invités.

Le soleil descend enfin sur la journée la plus douloureuse dans la vie d'Étienne. Bruno s'est retiré dans sa chambre sans saluer personne. Lorraine doit rentrer, elle travaille demain. Victor offre de la ramener, mais Étienne insiste pour la conduire lui-même. Lisette et son mari profitent du répit pour aller marcher sur la grève, la lune se lève, Bruno reste seul dans la maison.

… enfin le silence… la nuit m'enveloppe… je trace le destin…

Étienne dépose Lorraine chez elle ; il monte jusqu'à son appartement. Elle n'allume pas en entrant. La lampe du salon, qui sert d'éclairage d'accueil, suffira à ce moment d'intimité qui ferme définitivement la journée et marque la fin d'une tranche de vie pour Étienne.

— Sans toi, je sais pas si j'aurais pu passer à travers.

— J'ai rien fait.

— Tu étais là, tout le temps. Même la nuit.

Il l'embrasse. Ils se souhaitent bonne nuit, puis il repart vers Sainte-Croix.

Il roule vers la sortie de la ville. Il arrête à un feu rouge. L'hôtel où Judith est descendue avec Clothilde se trouve juste au coin de cette rue. Une flèche verte clignote. Étienne fait le virage à gauche au lieu de filer tout droit. Il entre dans la cour de l'hôtel, se dirige vers un espace de stationnement, mais aperçoit, sous un réverbère, son oncle Victor en train de fumer une cigarette. Il bifurque et reprend la route. Le feu de circulation est encore au rouge. Il prend son téléphone, demande l'assistance annuaire, le numéro de l'hôtel. La standardiste lui offre d'établir la communication, il accepte.

— Judith Brisebois, s'il vous plaît.

Étienne est en attente, est-il bien prudent d'appeler Judith ? Ne devrait-il pas raccrocher ? Au téléphone, il n'y a aucun danger. Le feu de circulation tourne au vert.

— Allô.

— C'est moi.

Un coup de klaxon derrière Étienne lui ramène les yeux sur la route. Il avance.

— T'es pas venue à la réception après les funérailles.

— Tu sais pourquoi.

— On peut se voir ?

— On part tôt demain matin.

— Je suis en ville.

Ils se retrouvent au parc des chutes du Petit-Sault. Ils marchent en silence dans le sentier qui longe la rivière. Le sentier conduit en aval de la chute, à l'abri des regards indiscrets. Un dernier moment intime, une occasion inespérée. Ils s'assoient sur les grosses roches dans l'alcôve creusée au fil des siècles par la crue des eaux. Ils restent là, assis l'un près de l'autre en silence. Étienne ressent encore sa surprise quand il a vu Judith apparaître dans la porte du salon funéraire. Comment a-t-elle pu apprendre aussi rapidement la mort de ses parents ?

— Bruno m'a envoyé un courriel.

Étienne comprend maintenant que Bruno a voulu le placer en situation embarrassante vis-à-vis de Lorraine. Surtout lui causer des misères.

— Oublions ça. L'important, c'est que tu sois venue.

La lune se reflète, croissant de désir, sur l'écume de la chute du Petit-Sault. Judith se demande pourquoi il lui a téléphoné ? Pourquoi ne l'a-t-il pas laissée partir, en intruse, comme elle est venue ? Et maintenant, pourquoi la retient-il ? Le bras autour du cou de Judith, Étienne caresse machinalement le sein ferme dont la pointe se dessine à travers le t-shirt vert sauge. Ses boucles couleur d'écume frôlent la joue d'Étienne, il pose un baiser sur la tempe de Judith. N'y aura-t-il toujours que la mort pour les réunir ? Elle lève la tête et colle sa bouche au cou d'Étienne, elle ouvre ses lèvres et goûte le sel de la trop longue journée dans le cou de l'homme qu'elle continue d'aimer malgré elle. Elle retournera dans ses Laurentides, le temps saura-t-il lui faire oublier cet amour impossible ? La mort de Georges oblige Étienne à rester à Sainte-Croix et elle, elle est exclue à jamais de ce village. La main d'Étienne entoure complètement le sein de Judith, il serre le mamelon entre l'index et le majeur. Elle promène sa langue dans son cou. Il passe l'autre main sous le t-shirt, lui caresse le ventre. Elle lui lèche le menton, ce menton légèrement carré qui l'a séduite il y a si longtemps. Il glisse sa main dans le jeans de Judith, caresse les lèvres gonflées de désir, prêtes depuis des heures à l'accueillir. Étienne sent la main fine détacher son pantalon, glisser sur son bas ventre, dans l'aine. Aucune interdiction ne pourra arrêter le cours de la passion déchaînée.

Étienne entre chez lui sur la pointe des pieds, soulagé que tout le monde soit couché. Il file directement à sa chambre, se déshabille dans l'obscurité et se met au lit. Il est plus de trois heures et il a profondément sommeil. Le parfum de Judith sur sa peau se mêle à celui de Lorraine sur l'oreiller. Étienne s'endort, épuisé. Un lutin s'immisce dans son rêve, petit lutin vert à peine perceptible parmi les arbres qui séparent la scierie de la rivière. Il ricane. Étienne l'entend à peine. Une odeur parvient jusqu'à lui, une espèce de mélange d'automne et de printemps. Étienne cherche d'où vient l'odeur, il respire avec peine, de plus en plus difficilement, il cherche le lutin maléfique qui rit et qui mélange les odeurs. Il étouffe, se débat. Il se réveille, lutte pour se déprendre. Il ne peut ouvrir les yeux enfouis dans son oreiller. Quelqu'un appuie sur l'oreiller dans sa figure. Pris de panique, Étienne donne un violent coup de travers.

L'oreiller tombe par terre. Plié en deux, Bruno regagne sa chambre. Étienne entend la clé tourner dans la serrure de la porte. Il est là, haletant dans la noirceur, terrifié. Il allume la lampe de chevet, descend à la cuisine, se verse un grand verre de lait et le boit d'un seul trait. Il remonte à sa chambre, ferme la porte, se couche, se relève, place une chaise sous la poignée de la porte pour qu'elle reste bien fermée, il n'y a jamais eu de clé pour aucune porte de la maison sauf pour celle de la chambre de Bruno. Étienne ouvre toutes grandes les deux fenêtres de sa chambre, la brise déplace un papier sur le plancher. Il le ramasse.

> *... la berceuse du temps berce le pleutre... je berce la berceuse du temps... Lorraine berce déjà son enfant... il naîtra, lui aussi, dans le tumulte des eaux...*

Étienne tremble encore à l'idée que son frère ait tenté de l'étouffer. Il est vraiment débile, sa violence devient terriblement inquiétante. Il faudra l'éloigner. Pourvu que son père ait prévu des dispositions. Et si c'était vrai, si Lorraine était enceinte ? Il fait le calcul, elle accoucherait effectivement en avril, en pleine crue des eaux. Et comment Bruno le saurait-il, si lui, Étienne, n'est au courant de rien ? Il déchire le papier en miettes et se recouche. Il éteint la lumière. Une tristesse l'envahit. Comment a-t-il pu faire ce qu'il a fait ce soir ? Judith l'ensorcelle, il ne peut lui résister. Il pense à Lorraine, enceinte peut-être. Les yeux grands ouverts dans la nuit, il n'ose pas dormir, il a peur. Une première nuit blanche.

Le chant des oiseaux annonce les premières lueurs de l'aube. La brise fraîche du matin entre dans la chambre d'Étienne, se mêle aux parfums de femmes dans ses draps. Étienne entend Bruno se lever, il entend la porte de la maison se refermer. La lumière du jour se reflète dans le miroir de sa chambre et adoucit l'atmosphère. À deux heures, maître Rousseau lira le testament de sa mère et celui de son père. Étienne connaîtra son avenir, sa richesse, ses obligations. Il ira le dire à Lorraine, elle est peut-être enceinte. Qui a laissé cette note dans sa chambre ? Elle ou Bruno ? Étienne regarde la barre du jour dans le miroir. Le rose passe au jaune, reflet du soleil sur cette journée de destin. Elle sera chaude, ensoleillée. Le reflet pâlit, le soleil doit être visible à l'orée de la forêt, il doit briller sur la rivière maintenant. Étienne entend les pas de Lisette, la porte de la maison s'ouvrir et se refermer, elle sort se baigner. Il ferme les yeux un instant, cet instant de trop, comme quand on s'endort au volant de la voiture. Il s'endort, épuisé par sa nuit blanche, il peut dormir en toute quiétude maintenant que le jour est levé, les ombres de la nuit se sont évanouies. Étienne dort. Dans quelques heures, il connaîtra son véritable sort.

Maître Rousseau ouvre le testament de Georges. Outre les cinquante mille dollars qu'il laisse à sa sœur Alice, et quelques dons à des fondations, l'homme d'affaires lègue tout à son fils cadet, selon les modalités que livre l'avocat :

— Je lègue mes terres, ma scierie et ses dépendances à mon fils cadet, Étienne. Il saura en faire bon usage dans le plus grand respect de la ressource. Je lègue toutes mes assurances à Irène. Advenant une mort simultanée, les assurances et la maison reviennent de droit à Étienne. Il veillera sur son frère Bruno, au meilleur de ses possibilités.

Étienne se sent bien petit devant tant de responsabilités. Sa mère aura-t-elle un mot pour alléger son destin ? Étienne écoute maître Rousseau exprimer les dernières volontés de sa mère. Elle lègue vingt-cinq mille dollars à Sophie Bouchard pour payer une partie de ses études. Elle lui laisse aussi quelques tableaux que l'héritière sélectionnera elle-même quand chaque membre de la famille aura choisi ceux qu'il veut garder. Le reste de son bien est légué à Georges. Maître Rousseau lève la tête et s'adresse à tous.

— Comme vous le voyez, ces deux testaments sont les dernières volontés de deux personnes décédées en même temps. Georges avait fixé un rendez-vous à son retour, pour préciser les détails. C'est pourquoi j'ai demandé à Victor Bellefleur, frère du défunt, et à Édouard Léger, frère de la défunte, d'agir comme témoins pour que les deux familles puissent confirmer que tout a été fait selon les règles. Il reste encore deux lettres à consulter : une pour Étienne, écrite par son père, et une lettre d'Irène à Sophie Bouchard. Je vous prie de les lire maintenant, pour attester qu'elles ne contredisent pas les testaments.

Maître Rousseau conduit Étienne et Sophie dans une pièce où ils pourront lire leur lettre respective. Les deux héritiers s'installent avec leur lettre d'outre-tombe. Ils se jettent un coup d'œil furtif, se sentent un peu gênés, l'un par la présence de l'autre. Sophie hésite, puis ouvre la lettre d'Irène.

Étienne serre la lettre de son père dans ses mains, il craint de la lire. Il regarde Sophie déjà absorbée par la lettre de sa mère. Qu'est-ce qu'Irène a de secret avec son amie qu'elle ne pouvait dire à son propre fils ? L'émotion se dessine dans le visage de Sophie. Étienne se sent un peu voyeur, il change de chaise, s'assoit en retrait et ouvre la lettre de son père.

Cher Étienne,

Mon fils qui m'a redonné le goût de l'aventure, mon cher fils, si tu lis cette lettre, c'est que le destin n'a pas voulu que je survive à ta mère. On dit que la vie nous envoie les épreuves de notre courage. Si tu lis cette lettre, le courage m'aurait-il manqué de continuer à vivre sans ma chère Irène?

Étienne est ahuri par cette phrase : son père aurait-il pensé au suicide? Impossible. Pourtant, il ne pouvait deviner qu'ils auraient un accident. Et pourquoi Irène seraitelle morte avant lui? Il poursuit sa lettre.

Étienne, j'accompagne ta mère en Égypte, car elle veut voir l'Orient avant de mourir. Son cancer l'a reprise, elle doit vous en parler à son retour, mais si tu es en train de me lire, les chances sont que tu ne la verras plus, un drame est si vite arrivé.

Étienne éclate en sanglots. Sophie lève un peu la tête, la fragilité d'Étienne l'émeut. Elle voit bien qu'il est inconsolable. Elle n'ose s'approcher de lui. Elle ne peut rien pour alléger sa douleur.

Sophie croit à peine ce qu'elle vient de lire. Elle se sent mal à l'aise devant Étienne qui n'a pas arrêté de pleurer. Pourquoi Irène n'a-t-elle pas donné son œuvre à une fondation? Étienne ne devrait-il pas être celui qui garde les profits de vente des tableaux? Enfin, Étienne reprend la lecture de sa lettre.

Tu deviens mon héritier officiel. À mon plus grand bonheur. Tu surmonteras ta tristesse et tu feras face à ton avenir. Je sais que Bruno peut te causer du souci, c'est bien le seul legs que je regrette. Fais de ton mieux à cet égard. Et souviens-toi, à l'impossible nul n'est tenu.

Cher fils, j'ai le plus grand regret de te dire adieu par cette lettre. Adieu, mon cher fils que j'aime tant. Bon courage. Et quand tu seras remis de ta peine, que le Bois des songes t'apporte bonheur et sérénité, ce Bois des songes qui nous garde unis à jamais.

Ton père qui t'aime,

Georges

Étienne plie sa lettre, la glisse dans la poche intérieure de son veston, se lève et sort de la pièce. Sophie le suit. Ils entrent dans la salle commune, Bruno est assis près de tante Alice, elle le cajole pour l'apaiser. En voyant le regard livide de Bruno, Étienne a un éclair : il ne peut pas laisser l'atelier d'Irène sans surveillance. Il sort et téléphone à Lisette pour savoir si elle est à la maison, puis il téléphone à Rodney Jessop, lui demande une faveur tout à fait personnelle : aller immédiatement poser une serrure sur la porte de l'atelier de sa mère. Et en même temps, en installer une aussi sur la porte de sa chambre à lui. Lisette le fera entrer. Étienne respire déjà un peu mieux. Il invite tout le monde à prendre l'apéritif au restaurant, question de donner le temps à Rodney de faire son travail. Lisette et Jonathan les rejoindront pour souper de même que Lorraine.

Tout au long du repas, Étienne porte une attention particulière à Lorraine. Il est étonné qu'elle boive du vin, mais il ne dit rien. Un verre de vin ne nuit peut-être pas. À la fin du repas, chacun part de son côté, marquant ainsi la fin d'une étape.

C’est la nuit à Sainte-Croix, c’est la nuit dans les Laurentides, la berceuse du temps berce au présent. Étienne entame sa première nuit d’héritier, avec toutes les responsabilités de son nouveau titre.

V

La mort a pris ses droits. L'histoire, encore une fois, change son cours. Étienne est retourné à la scierie. Il travaille sans répit, prend connaissance des dossiers laissés en suspens par son père. Il ne sait pas tout, il apprendra, aidé de Rodney Jessop.

Alice s'occupe de Bruno, tout en pensant à son voyage à Miami, possible désormais avec l'héritage de son frère. Elle ira passer une partie de l'hiver là-bas avec son amie Régina, veuve comme elle. Si Alice nourrit secrètement son rêve, elle en doute parfois. Bruno semble perturbé plus que jamais depuis la mort de ses parents. Il passe ses journées adossé à la porte barrée de l'atelier d'Irène. Alice s'impatiente.

— Fais de quoi, il va se chavirer, le pauvre garçon.

— Ma tante, je peux pas le laisser entrer là. Les tableaux sont à Sophie, maintenant.

— Ben comment longtemps qu'elle va torturer c'te pauvre Bruno, ta Sophie Bouchard ? Qu'elle vienne les chercher si c'est à elle.

— Demain, ma tante, demain.

Un gros camion recule dans la cour des Bellefleur. Sophie gare sa voiture sur l'accotement, fait attendre les hommes dehors et sonne. Étienne devance Alice à la porte.

— Laissez faire, ma tante, je m'occupe de tout.

Alice s'esquive par une autre porte pour éviter de faire face à Sophie. Elle amène Bruno chez elle, au grand soulagement d'Étienne qui débarre l'atelier et entre. Sophie reste dans l'embrasure de la porte. Il la tire à l'intérieur. Un tableau est encore sur le chevalet, un grand cercle rouge sur fond blanc. Étienne demeure perplexe.

— Le drapeau du Japon… je comprends pas que ma mère…

— C'est pas Irène qui a fait ça; c'est pas son coup de pinceau.

Sophie fait quelques pas encore, les tubes et les pots de peinture sont bien rangés, les pinceaux nettoyés, sauf un, souillé de peinture rouge.

— On dirait…

— … ouais, le même rouge qu'à la galerie.

Elle se rappelle le tube de peinture rouge que Frédéric lui a glissé dans la main, qu'elle a mis et oublié dans son sac. Elle sait que Bruno est l'auteur de ce cercle rouge. Maintenant, Étienne le sait aussi, mais il ne comprend pas le motif de Bruno. Peut-être voulait-il signifier le départ d'Irène vers l'Orient. Mais elle allait en Égypte, pas au Japon. Après tout, il est peut-être vraiment déséquilibré, malgré ses rares propos logiques, les souvenirs d'enfance, les liens qu'il fait entre les événements. Ces rapports souvent incongrus, qu'il est seul à comprendre — s'il en comprend lui-même quelque chose —, des rapports discutables, mais quand même des liens. Et ses moments de quasi-lucidité, moments intimes entre lui et Étienne, jamais de témoins, surtout jamais devant sa mère. Il ne parlait presque pas devant Irène. Et sa tentative de l'étouffer, au beau milieu de la nuit. Étienne nage en plein mystère : Bruno est-il réellement désaxé ou est-il un manipulateur qui cultive son art ?

Sophie caresse du bout des doigts les outils trop bien rangés.

— Ta mère prévoyait vraiment sa fin prochaine.

— On prévoit pas un accident.

— Pas l'accident.

— Elle t'avait parlé de sa maladie ?

— Elle m'a juste dit qu'elle avait peint son dernier tableau.

— Et tu m'as rien dit !

— Elle m'a pas donné de raison. Elle m'a juste fait jurer de garder le secret. C'était à elle de te le dire... Elle te l'avait pas dit...

— Je l'ai appris dans la lettre de mon père.

Sophie est navrée de la situation. Et son malaise s'accentue du fait qu'Étienne lui donne tous les tableaux de sa mère. Irène lui en a légué quelques-uns, pas son œuvre au complet.

— Revenons pas là-dessus, Sophie. Je préfère que tu t'en occupes.

— C'est très lourd à porter, cet héritage-là.

Étienne insiste pour qu'elle apporte tout, il n'a plus la force de retenir Bruno. Il finira par défoncer et tout détruire. Au fond, leur entente est la meilleure qui puisse être. Un service mutuel qu'ils se rendent : Étienne paie l'entreposage jusqu'à ce qu'elle parle à Toubon, et elle s'occupe du reste.

Sophie se promène dans l'atelier, regarde les œuvres. Elle attire l'attention d'Étienne sur un tableau peint il y a longtemps, *Lilas*.

— On dirait un coin de notre maison.

— C'est la fenêtre… la fenêtre de sa chambre, là où tu es né.

Étienne pense au Bois des songes, la couche de mousse sur laquelle il a été conçu, une journée particulièrement chaude d'automne, lui a raconté son père. Puis il était né dans les premières douceurs de l'été, entouré de lilas. Sophie prend le tableau.

— Faut l'accrocher dans ta chambre.

Ils montent à l'étage et Sophie déniche le meilleur endroit pour accrocher l'œuvre de naissance d'Étienne.

— Ici, elle aurait la lumière du matin, sans le soleil direct.

Étienne descend chercher un marteau et un crochet, puis remonte vite à l'étage. Il accroche le tableau là où Sophie lui indique, l'ajuste, se recule pour voir l'effet. Il s'étend sur son lit pour examiner le coup d'œil qu'il aura à son réveil. Chaque matin, il renaîtra. Il est satisfait, se redresse, s'assoit sur le lit en gardant les yeux rivés sur le tableau.

— Sophie… est-ce que Lorraine t'a dit qu'elle est enceinte ?

— Quoi ? Félicitations !

Étienne ne sourit pas. Il voulait juste savoir si Lorraine est vraiment enceinte. Il n'en est pas certain lui-même. Il demande à Sophie de ne rien dire pour l'instant. Ils reviennent au rez-de-chaussée, font entrer les hommes qui attendent toujours dans la cour. Les tableaux sont placés dans des caisses conçues pour le transport et l'entreposage. À la fin de l'après-midi, le camion part pour l'entrepôt. Sophie embrasse Étienne et part derrière son héritage. Étienne retourne à l'usine ; lui, c'est là qu'est son héritage.

Une voiture de la GRC est garée dans la cour ; un agent en sort dès qu'Étienne apparaît dans le stationnement. Il se présente, inspecteur Grisholm. Étienne donne une poignée de main à l'agent et le fait entrer dans son bureau pour apprendre que l'inspecteur est chargé de l'enquête sur la mort de ses parents et d'Hermel Violette. Il doit questionner tous les gens de l'entourage des défunts.

— Il est pas suffisant de savoir que les freins ont manqué ?

— C'est justement à cause de ça qu'il y a enquête, Monsieur Bellefleur.

La mise au point a été faite dans la semaine précédant le voyage. Le mécanicien a juré que les freins étaient en excellent état, mais il semble y avoir eu sabotage dans le système et l'inspecteur est chargé de trouver le coupable.

Qui aurait eu intérêt à voir partir l'une ou l'autre des trois personnes décédées dans ce dérapage ? Étienne ne connaît aucun ennemi à son père, encore moins à sa mère. L'inspecteur l'informe qu'il a parlé à tous les employés de l'usine — la secrétaire a été d'une grande aide. Il a parlé aussi aux gens du village, aux connaissances. Personne ne connaissait vraiment d'ennemi à Georges Bellefleur, ni à Hermel Violette, un homme plutôt rangé et à ses affaires. Le cercle se rétrécit de plus en plus. L'inspecteur fait une pause, prend un ton un peu mielleux.

— Vous êtes le seul héritier de votre père... Et ambitieux, semble-t-il.

Étienne est indigné, il n'en croit pas ses oreilles.

— Si vous pensez, inspecteur, qu'il me plaît d'avoir hérité de ce cadeau empoisonné, je vous le donne sur un plateau d'argent : la scierie, les terres, tout ! Et l'idiot en prime !

L'inspecteur ne semble pas impressionné par la réaction d'Étienne. Dans sa longue carrière, il en a vu des coupables indignés. Mais Grisholm finit toujours par les avoir à l'usure.

— Je dois aussi parler à votre frère.

— Monsieur, si vous voulez parler à moi ou à mon frère, adressez-vous à maître Charles Rousseau.

L'inspecteur quitte les lieux, convaincu qu'il détient une piste. Étienne entend l'écho de ses paroles « ce cadeau empoisonné… je vous le donne, l'idiot en prime ». Il se rend compte de ce qu'il vient de faire, de la gravité de son geste. Il s'est mis dans de beaux draps avec l'inspecteur : sa réaction le désigne comme premier suspect. Il téléphone à Charles Rousseau, lui raconte sa bévue. L'avocat attendra un signe de Grisholm. L'inspecteur est reconnu pour son manque de tact.

Étienne s'en remet totalement à Charles Rousseau. Au moins, lui ne le soupçonne pas. Par la fenêtre de son bureau, il regarde la cour de la scierie. Le bois s'accumule, le protectionnisme s'accentue chez le voisin du Sud.

Le téléphone sonne. Béatrice prend l'appel.

— Ta tante Alice. Elle dit que c'est urgent.

Étienne retient un mouvement d'impatience.

— Oui, ma tante…

— Bruno a disparu. Je peux pus le trouver.

— J'arrive.

Étienne et Alice cherchent Bruno partout autour de la maison, dans toutes les pièces possibles. Bruno n'est pas dans l'atelier. Étienne fait le tour du village. Son frère demeure introuvable. Étienne est convaincu que Bruno le fait exprès pour l'inquiéter parce qu'il n'a pas digéré voir partir les tableaux d'Irène, ne peut concevoir que quelqu'un d'autre que lui les ait en sa possession.

— Arrêtons, il finira bien par revenir.

— S'il s'était noyé ?

— Dites-vous une chose, ma tante. Si Bruno s'est noyé, il l'a fait volontairement. Et qu'à cela ne tienne, j'aurai un souci en moins.

— Étienne Bellefleur ! Si ta mère t'entendait !

— Mon père, en tout cas, penserait comme moi.

Alice est scandalisée, Étienne la convainc de rentrer chez elle ; il l'informera dès que le fugitif se pointera le nez. Il se verse un cognac et s'assoit au salon. Il laisse ses pensées errer dans toutes les directions, un véritable coq-à-l'âne dans son cerveau tendu. Le ciel rougit en cette fin du jour. Étienne sort sur le patio, son verre à la main. Il contourne la maison. Les lilas sont bien tristes avec leurs grappes desséchées. Irène avait l'habitude de les faire émonder. Cette année, les lilas n'ont pas été taillés, personne n'y a pensé. Quand le faisait-elle faire au juste ? Qui venait les élaguer ? Était-ce l'été ? l'automne ? chaque année ? aux deux ans ? Étienne n'en sait rien. Il s'assoit sur la balançoire. Sa mère aimait s'y reposer à cette heure. La maison a perdu son charme depuis qu'Irène n'y est plus ; elle ressemble davantage à un chaos qui s'accentue. Lorraine voudra-t-elle embarquer dans ce désordre ? Étienne ne sait toujours pas si elle est enceinte. Ils se sont si peu vus dernièrement. Il lui téléphone. Au moins, savoir comment elle va ! Si elle va lui parler de sa grossesse… Un bébé en vue mettrait un peu de joie dans le paysage. Mais rien. Lorraine ne lui dit rien. Étienne voudrait descendre en ville, mais il doit attendre le retour de Bruno. Il ne peut pas laisser la maison sans savoir où est son frère.

— T'auras jamais la paix ?

— J'espère y arriver un jour.

— J'aimerais bien partager ton optimisme.

— C'est la seule façon de me garder en vie, Lorraine. D'autant plus, imagine-toi, que l'inspecteur Grisholm me soupçonne du meurtre de mes parents.

— Quoi ! T'es pas sorti du bois…

Étienne n'a rien obtenu de plus. La maison flotte dans l'ombre du jour qui s'achève. Étienne monte l'escalier, se dirige vers la chambre de ses parents, il lui faudra bien un jour vider cette chambre aussi. Il ouvre la porte, lentement, comme s'il entrouvrait le couvercle d'un tombeau, lentement, pour ne pas déranger la mort. Étienne entre dans la pénombre. Il fait presque nuit dans la chambre de sa naissance, les rideaux sont fermés. Ses pupilles s'agrandissent dans le noir artificiel. Quelqu'un a fermé les rideaux. Il se rappelle les avoir ouverts, il en est certain. Pour que la lumière empêche la nostalgie de s'infiltrer dans ce lieu. Il s'assoit sur le bord du lit, se laisse aller sur le dos. Dans son mouvement, il heurte un corps. Son cri retentit dans la chambre. D'un bond, il se précipite jusqu'à la porte et allume. Le cœur lui bat à tout rompre. Bruno est là, sur le lit, replié en position fœtale. Étienne rage.

— Câââălice !

— Voleur ! Assassin !

Étienne sort de la chambre sans fermer ni la porte ni la lumière, il descend et téléphone à Alice.

— Il était dans la chambre de maman.

Il raccroche et s'enferme dans son bureau, son bureau d'étudiant, inoccupé depuis la remise des diplômes. Ce soir, la pièce devient son refuge. Il s'y terre comme un animal blessé. Il sort la lettre de son père, la relit.

… que le Bois des songes t'apporte bonheur et sérénité

Étienne replie la lettre, la replace dans la poche de son veston. Le papier accroche sa plume, une *Mont Blanc* en or que sa mère lui a donnée à son dernier anniversaire, un cadeau « pour écrire tes plus beaux poèmes », avait-elle écrit dans sa carte, pour qu'il n'oublie pas son rêve essentiel. La *Mont Blanc* ne servira pas à écrire des vers, mais à signer des contrats, des chèques de paie.

Bruno s'est enfermé dans sa chambre.

... le maître est mort, le candide apprenti languit dans son remords... Étienne se meut dans son endroit sombre... je trace son destin... il stagne dans la pourriture des fleurs agonisées...

Étienne griffonne quelques lignes sur une feuille. Question de sentir le glissement de la plume sur le papier et de voir apparaître la ligne sinueuse et bleue sur le blanc de la feuille, comme la rivière qui s'insinue dans le cœur de la forêt. Étienne écrit le mot *forêt*. La forêt, comme quand il était enfant. Il écrit le mot *enfant*.

enfant
j'aimais entendre sonner les cloches de l'église
comme des anges
messagers de quelque chose
que je ne comprenais pas
tout à fait

La plume glisse sur le papier blanc.

les hommes ont besoin de travailler

Étienne permettra aux hommes de travailler, comme son père l'a fait. Si la scierie venait à fermer, le village ne se remettrait pas de sa blessure. Sainte-Croix s'est construit autour de l'industrie du bois. Il ne peut pas tuer ce village. Et la plume glisse sur le papier.

écrire son histoire avec des effilochures de vie
des mots défaits
des lettres perdues

Un craquement. Étienne tend l'oreille. Silence.

des lettres perdues
dans les fissures
de pierre tombale
ils étaient beaux pourtant
tous les deux
ils étaient beaux
et la vie, prometteuse

Un autre craquement et la porte s'ouvre. Bruno entre dans le bureau d'Étienne.

— Tu écris ? Toi ?

— Bruno, laisse-moi tranquille.

Bruno prend la feuille, lit ce qu'Étienne vient d'écrire, puis d'un geste dédaigneux, laisse tomber la feuille à l'air libre.

— Fragments de deuils.

Il sort sans fermer la porte. Étienne n'a-t-il plus, dans cette maison, un seul endroit qui lui soit réservé ? Il se rapproche de la fenêtre. Il voit à peine la rivière dans la pénombre, il l'entend à peine. Sa vie entière ne serait-elle que des fragments de deuil, des éclats de rêve ?

La lune se lève, le croissant de la lumière argentée dessine les ombres de la forêt. Il se laisse imprégner par cette beauté. Une espèce de sérénité baigne ce paysage qui a toujours fait partie de sa vie. Il se rend compte qu'il habite un paradis, qu'il est privilégié de vivre dans un endroit aussi beau. Il imagine l'odeur des conifères à cette heure de quiétude. Aller dehors et respirer la forêt, la nuit. Il se rend compte qu'il porte encore son complet ; il n'a même pas eu le loisir de se changer en rentrant du travail. Parce qu'il est rentré en catastrophe. Un gargouillement dans l'estomac lui signale qu'il n'a pas mangé non plus. La faim le tenaille.

Étienne monte à sa chambre, enlève son complet, il enfile un pyjama et un chandail, chausse ses pantoufles. Il descend à la cuisine, trouve une pointe de Camembert, un bout de baguette, il n'en offrira même pas à Bruno. S'il a faim, qu'il s'en prenne ou qu'il crève. Il descend à la cave et remonte avec un Châteauneuf-du-Pape. Il faut un bon vin pour les moments privilégiés. Il sort sur le patio avec son pique-nique. Il s'assoit, installe la bouteille entre ses cuisses, l'ouvre, en boit une première gorgée à même la bouteille. Il fait rouler le vin au palais, lentement, pour le goûter pleinement, puis l'avale. Il prend une grande respiration en regardant la lune. Il lève la bouteille vers l'astre, comme pour porter un toast.

— À ta santé, lune.

Une certaine ironie dans son geste, accentuée par la désillusion de la journée. Un mouvement de détachement total. Ce soir, devant son impuissance, plus rien ne l'atteint. Il boit une autre gorgée de vin qu'il prend le temps de bien savourer.

— T'en fais pas, lune. On est juste nous deux, pas besoin de plaire à personne. À bas les bonnes manières ! Ce soir, lune, je trinque à ta grande beauté. Je trinque à notre couple : toi et moi, juste toi et moi.

Étienne mord dans le fromage, mastique bien pour en dégager tout le goût. Il mange lentement, trinque et chuchote à la lune.

— On est bien, nous deux, en tête-à-tête. Oublier les accusations de Grisholm, oublier les agressions de Bruno, oublier Bruno lui-même, oublier jusqu'aux Américains, qu'ils se protègent tant qu'ils voudront, qu'ils nourrissent leur paranoïa si ça leur chante, qu'ils refusent mon bois tant qu'ils voudront. Il est beau, mon bois, il se tient debout, il embaume le paysage. Et il fait de beaux dessins avec ta lumière qui lui chatouille les épines. Juste toi et moi, lune.

Étienne se tait. Il mange son fromage, prend une petite bouchée de pain qu'il mouille avec une goutte de ce vin délectable. Une miette de pain reste accrochée au goulot de la bouteille, Étienne la lèche du bout de la langue. Il prend tout son temps, il a tout son temps, personne ne le presse.

— Juste nous deux, lune. Avec chacun la moitié de nous-mêmes. Comme toi, ce soir, j'ai un côté à l'ombre. Mais est-ce que, comme toi, la moitié ombragée de mon âme s'éclairera un jour ?

Étienne écoute la rivière dans le silence de la forêt, de sa forêt.

— Tu sais, ma chère lune, à toi, je peux bien le dire...

Il prend une autre gorgée de vin.

— ... à toi, je peux bien le dire... ouais... j'aime deux femmes. C'est fou, hein, j'aime deux femmes, et c'est avec toi que je trinque.

Il appuie sa tête sur le dossier de la chaise, ferme les yeux pour mieux sentir l'air lui frôler le visage. L'odeur des pins, des sapins, les fins arômes des fleurs sauvages de fin d'été. Étienne esquisse un léger sourire.

Il reste ainsi à goûter la nature. De temps en temps, il grignote son quignon de pain, son morceau de fromage, comme une souris innocente. Il sirote son vin. Ça le fait sourire. Boire un si bon vin à même la bouteille. Il aime la texture un peu rugueuse dans sa main. Le temps passe. La nuit avance et Étienne continue de veiller avec le côté éclairé de la lune. Il se laisse aller dans la nuit qui s'allonge. Le fromage et le pain calment sa faim, le bon vin lui détend les muscles. Il se laisse glisser sur les reins, les jambes écartées. Il n'a personne à qui il doit plaire, pas même à la lune puisqu'ils sont de connivence. Et la nuit fait son œuvre dans le corps d'Étienne.

La fraîcheur de l'aube le réveille. Il frissonne, ouvre les yeux : un raton laveur termine son petit-déjeuner avec le pain tombé sur le patio. Lentement, pour ne pas l'effrayer, Étienne dépose le reste du fromage près de sa chaise. Le raton laveur le happe et se sauve sous son regard amusé. Il reste à peine une gorgée de vin dans la bouteille, Étienne la boit, jusqu'à la dernière goutte, la goutte d'amour. Il rentre finir la nuit dans son lit.

À huit heures, Étienne croise tante Alice dans l'entrée. Elle s'informe de Bruno. Il est bien en vie. Et lui, Étienne, se porte à merveille. Il quitte la maison sous le regard incrédule de sa tante.

Il entre au bureau, salue Béatrice qui lui apporte son café et une pile de messages. Sur le dessus, celui de Philippe Merceron. Une formalité en fait puisque l'entente est signée.

— Béatrice, as-tu la copie du contrat de Merceron ?

— Tu l'as pas encore signé.

Étienne cherche sur son bureau, où a-t-il mis ce contrat ? Béatrice vient l'aider, elle trouve le document sous une pile de choses à faire. Étienne la remercie, prend aussitôt le téléphone et compose. Déception, la scierie Bellefleur et fils vient de perdre un contrat au profit de Thériault. Merceron a appris la mort du propriétaire. Comme son appel restait sans réponse, il est allé avec Thériault. Il avait besoin de conclure rapidement. Merceron se dit désolé, il n'y peut rien. Il avait besoin de bois, celui de Thériault est arrivé ce matin. Peut-être la prochaine fois. Étienne se sent oppressé : il a perdu une vente importante à cause de ses problèmes personnels. Ou plutôt les problèmes de Bruno lui ont fait perdre une vente.

Il voit bien qu'il ne pourra pas mener une entreprise comme ça. Il doit neutraliser Bruno. Il téléphone au psychiatre qui le soignait durant son adolescence, car à sa connaissance, Bruno n'a vu aucun médecin depuis qu'il a réintégré la maison. Le vieux docteur Sivret lui annonce qu'il prend sa retraite dans un mois et lui suggère de s'adresser au docteur LeBlanc. Il est jeune, au fait des nouvelles approches en matière de santé mentale. Il fera suivre le dossier. Étienne n'hésite pas une seconde, il téléphone au docteur LeBlanc, plaide sa cause tant et si bien qu'il réussit à avoir un rendez-vous très rapidement.

Entre-temps, Étienne a reçu un appel de Charles Rousseau. Béatrice lui fait le message. Ils sont convoqués, lui et Bruno, à son bureau demain matin à dix heures. Étienne éprouve un haut-le-cœur en entendant cette nouvelle. Soit, il ira rencontrer l'inspecteur Grisholm chez maître Rousseau.

Bruno ne s'est pas fait prier pour se rendre chez l'avocat.

— C'est lui, dit-il, en pointant son frère. Il a tué ma mère.

— Racontez-moi ça, s'empresse l'inspecteur.

Rousseau intervient. Il chuchote à l'oreille de l'inspecteur.

— Attention, Grisholm, laissez-vous pas berner. C'est un malade.

Mais Bruno l'a entendu.

— J'étais là, je l'ai vu.

— Et qu'est-ce que vous avez vu ?

— La rivière était en crue. Puis il y a eu les lilas. Et ma mère est morte.

Grisholm se gratte le crâne, il ne sait trop quoi penser. Il n'obtiendra rien de plus logique de Bruno. Maître Rousseau amène l'inspecteur à l'écart et lui explique la situation. Grisholm lui fait part de ses doutes, maître Rousseau tente de lui faire entendre raison. Il faut chercher ailleurs, Étienne ne peut pas avoir causé la mort de ses parents.

La visite chez le docteur LeBlanc n'a rien donné de plus qu'une nouvelle prescription.

— Un nouveau médicament pour régulariser les humeurs du patient.

Selon le médecin, Étienne devra surveiller pour que son frère respecte la prescription. Il n'est pas question de le placer. Aucun foyer d'accueil de la région n'est qualifié pour ce genre de cas. Il suffit de surveiller Bruno et tout devrait bien aller.

— Et obligez-le plus à travailler. Surtout pas des gros travaux de ferme.

Étienne ne comprend pas cette insinuation. Le médecin lui raconte que son patient aurait subi des mauvais traitements de la part d'un fermier nommé Bélanger.

— Pas du tout.

Bruno s'était accroupi en fœtus dans le champ de monsieur Bélanger. Le fermier avait aperçu une trace dans le foin haut, il avait ralenti sa faucheuse, par prudence, puis il avait vu Bruno. Il avait klaxonné, à plusieurs reprises. Bruno ne bougeait pas. Il s'était approché, l'avait secoué, mais l'autre ne donnait aucun signe de vie. Pris de panique, le fermier était allé chercher Étienne à l'usine.

— Faut que je coupe mon foin si je veux que les bêtes mangent l'hiver qui vient. Mon vieux père, c'est une terre arable qu'il m'a laissée en héritage, moi.

— Vous avez bien fait de venir me chercher.

Quand les deux hommes étaient arrivés près de la faucheuse, il n'y avait plus trace de Bruno. Monsieur Bélanger s'était confondu en excuses, Étienne ne doutait pas que Bruno ait pu être là. Il s'excusait à son tour pour le dérangement que son frère avait causé au fermier.

Le docteur LeBlanc a une autre version de cette histoire. Bruno la lui a racontée en long et en large. Étienne l'avait traité de lâche, de sans envergure, d'incapable de gagner sa vie, alors que lui, à quinze ans, il avait travaillé aux champs de monsieur Bélanger. Bruno était allé se faire embaucher, il y travaillait depuis une semaine, d'un soleil à l'autre, il était épuisé et s'était endormi.

— Bruno a jamais travaillé. Ni chez Bélanger, ni ailleurs.

— Il s'était endormi de fatigue à ce qu'il dit.

— Bruno passe ses nuits blanches, docteur.

— Il vous craint beaucoup.

— C'est plutôt moi qui devrais le craindre.

— Il soupçonne que vous avez quelque chose à voir avec le décès de vos parents.

— C'est bien là une autre preuve de sa démence.

— Votre frère a aucune démence. Essayez de lui trouver des activités qui lui conviennent.

Le docteur LeBlanc ne semble pas comprendre la situation. L'avenir d'Étienne est compromis, il se sent aliéné par son trop lourd héritage.

Rodney Jessop entre dans le bureau et demande à Béatrice de voir Étienne.

— Il devrait arriver bientôt.

— Sacrament ! Il passe dix heures.

Rodney part dans une quinte de toux. Il se couvre la bouche de sa main.

— Tu devrais voir un médecin, Rodney.

— Ben non ! Je suis rien qu'un vieux râleux.

— Je trouve que tu tousses beaucoup dernièrement.

— Y a plus pressant.

Rodney file aux toilettes laver le sang qu'il s'est craché dans les mains. Il se rince la bouche, le visage. L'eau froide apaise les sueurs sur son front, sur sa nuque. Il se regarde dans le miroir.

— Viens pas me chercher astheur, sacrament, ton garçon a encore besoin de moi.

Quelques toussotements finissent par lui dégager la gorge. Il crache une dernière fois, se regarde encore dans le miroir.

— Je fais ce que je peux, Georges, mais tu le sais, toi, je suis pas ben instruit. Il a perdu son contrat avec Merceron, je l'aurais ben appelé, moi, mais je suis pas le boss. Je suis rien qu'un scieux de planches. Je le sais pas pourquoi qui m'a demandé de l'aider, ton garçon, je suis pas ben bon. Ah ! pour m'occuper des hommes, ça va, tu le sais… C't'été, on a presque doublé la production. Les gars sont assez contents qu'Étienne ferme pas leur scierie, ça scie, envoye par là, les scies dérougissent pas… mais, mon pauvre Georges, je sais pas ce qui se passe avec ton gars, on dirait qu'il a pas le cœur à l'ouvrage. Ça fait que arrête-moi de cracher du sang, au moins jusqu'à tant que j'aye trouvé le quelqu'un qui va pouvoir l'aider à ma place.

Rodney crache une dernière fois, se rince la bouche, il prend une bonne respiration et sort. Étienne entre sur les entrefaites et fait passer Rodney dans son bureau. Le contremaître lui fait part de son inquiétude : la cour se remplit de bois, du bois qu'il faudra vendre. Avant l'hiver.

Durant tout l'après-midi, Étienne s'entretient avec des acheteurs potentiels. Le surplus de bois l'inquiète, mais il ne peut se résoudre à ralentir la production. Il retourne dans sa tête les principes de gestion qu'il a appris à l'université. Son père avait peut-être des connaissances qu'il ignore. Il doit y avoir quelqu'un, quelque part en dehors des États-Unis, qui a besoin de bois. Il quitte le bureau sans avoir trouvé de véritable solution. Il devrait peut-être y travailler encore ce soir, mais il a décidé en se réveillant ce matin qu'il devait clarifier la situation avec Lorraine.

Lorraine lui ouvre la porte, visiblement contrariée.

— T'aurais dû téléphoner.

— Tu retournes pas mes appels.

— Tu piges pas ?

Elle le laisse quand même entrer. Le malaise est palpable, mais Étienne est déterminé. Il ne peut rien faire s'il ne connaît pas la vérité. Et d'abord, pourquoi est-elle si distante depuis les funérailles de ses parents ? Pourquoi ne répond-elle pas à ses messages ? Pourquoi l'évite-t-elle ? Qu'est-ce qu'il lui a fait ?

— Par quelle question tu veux que je commence ?

— Est-ce que c'est vrai que t'es enceinte ?

— Pas pour longtemps.

Étienne lui demande de répéter. Lorraine se bute dans le silence. Elle vaque à son souper, il la suit des yeux dans son va-et-vient. Ça l'énerve au plus haut point.

— Arrête. Lorraine, s'il te plaît, assieds-toi et parle-moi.

— Je t'ai tout dit.

Étienne ne peut pas croire qu'elle se ferait avorter. Pas elle. Il insiste que c'est aussi son enfant, qu'ils pourraient vivre heureux ensemble, à Sainte-Croix.

— Avec ton idiot de frère ?

— Je parlerai à Bruno ; s'il promettait de…

— Toi-même, t'en as peur.

— Pas du tout.

— Pourquoi t'as fait installer une serrure à ta porte de chambre ?

Étienne est pris de court. Il tente vainement de faire miroiter à Lorraine une belle maison au Bois des songes, une oasis de paix où Bruno n'a jamais eu accès. Il ne saurait même pas que la maison est là. Étienne dresse un portrait de ce que pourrait être leur vie. Elle se retourne brusquement, le fixe dans les yeux.

— Tais-toi ! Si je portais pas ton enfant, tu serais déjà avec Judith.

Il s'emporte. Comment aurait-il su qu'elle est enceinte ? C'est elle qui vient de le lui annoncer. Mais elle lui jette en pleine figure que le soir même des funérailles, il a passé une partie de la nuit avec Judith, elle ne sait pas où, mais elle sait qu'il est rentré à trois heures du matin : Bruno lui a expressément téléphoné pour lui dire.

— Maintenant, fous-moi la paix. Je garderai pas ton enfant pour m'aliéner le reste de mes jours avec toi et ta vie tordue !

Étienne reste ébaubi. Pour une clarification des faits, c'en est toute une.

— Je te retiens pas.

Étienne rentre chez lui. Alice termine la vaisselle.

— La police est venue tantôt.

— Qui ?

— Le même gars qui vient quasiment chaque jour.

— Ma tante, laissez plus jamais ce gars-là entrer ici ! C'est clair ?

Étienne est épuisé. Il y a quelques jours, il avait eu espoir que tout pouvait rentrer dans l'ordre, mais ce soir il en doute sérieusement.

Dans son rêve, il se voit s'engouffrer dans le remous, à la fois homme et bois, se précipiter en ligne droite dans l'abîme. Une lumière bleutée éclaire une haie de mots qui borde le gouffre. Étienne descend sans cesse, tête première, assailli de vertige. Il ne peut pas lire les mots qui déferlent dans sa plongée vertigineuse. L'eau brouille les lettres, il ne voit presque rien, il se laisse avaler par le remous qui lui semble sans fond.

Bruno veille dans sa chambre, il en a pour la nuit.

… le juste retour des choses… les derniers bercements scandent les restes de vie…

Étienne se réveille en sueur, haletant. Il se lève et vérifie la porte de sa chambre. Barrée. Il se recouche. Il sent le temps battre à ses tempes, une seconde à la fois. Il compte les secondes, les minutes, les heures, comme la minuterie d'un explosif avant que le cerveau lui éclate.

VI

À LA PREMIÈRE heure du jour, Grisholm débarque à Sainte-Croix. Il arrête d'abord à la scierie. Il a déjà entamé sa fouille quand Étienne arrive. Béatrice intercepte son patron, lui résume la situation. Étienne entre dans son bureau et aperçoit l'inspecteur, les deux mains dans un classeur. Il entre dans une colère folle.

— J'ai un mandat, lui rétorque Grisholm narquois.

— Sortez !

— J'ai ce qu'il me faut.

Étienne jette Grisholm dehors et, au passage, lui arrache un dossier des mains. Il téléphone à Charles Rousseau. Celui-ci est absent pour trois jours. Étienne tente de travailler, mais le cœur n'y est pas. En rentrant le soir, il constate que le mandat de Grisholm lui permettait aussi de fouiller la maison. Son ordinateur a disparu.

Malgré la fatigue qui s'accumule au fil de ses nuits d'insomnie, Étienne tente de trouver des acheteurs pour son bois d'œuvre. Le temps presse, l'automne paraît déjà. L'idée de mettre la moitié de son équipe au chômage lui chavire les sens. Que lui reste-t-il au fond qui lui vaille de se battre ? Il griffonne sur un bloc-notes.

je ne suis qu'un bois mort à la dérive de mon rêve
mes écrits ne sont que des fragments de deuil

Étienne arrête, il n'a plus de mots pour écrire sa détresse. Il se dit qu'il ne sait même plus écrire, qu'il ne sera jamais à la hauteur de ses engagements, qu'il a tout ravagé sur son passage : Lorraine, Judith, le champignon magique. À défaut de trouver un acheteur de bois, il pourrait peut-être vendre la scierie au complet. Et s'avouer vaincu ? Trahir la confiance de son père ? Comment pourrait-il vivre après ça ?

Béatrice lui annonce la présence de deux visiteurs. Et si ces hommes venaient pour acheter du bois ? S'ils étaient des anges qui venaient le sortir de son marasme ? Mais il déchante à la vue des uniformes.

— Étienne Bellefleur ?

— Oui.

— Étienne Bellefleur, vous êtes accusé d'avoir causé la mort de Georges Bellefleur, de sa femme Irène et de leur chauffeur, Hermel Violette.

— C'est absurde !

— Vous avez le droit de garder le silence. Tout ce que vous direz pourrait être retenu contre vous.

Étienne crie à s'en fendre l'âme qu'il est innocent, mais rien n'empêche les deux policiers de lui passer les menottes et de le conduire dans leur voiture. Béatrice regarde son patron se faire emmener, elle est dans tous ses états. Appelé sur son téléavertisseur, Rodney arrive enfin, toussant comme à son habitude. Que peuvent-ils faire ? Ils téléphonent à Charles Rousseau pour apprendre qu'il est absent.

— Victor ! On va appeler Victor.

L'oncle est abasourdi. Il prend aussitôt la route pour Sainte-Croix.

Grisholm accueille son pensionnaire et l'enferme. Il lui passe une feuille à travers les barreaux de sa cellule.

— C'est un message dans votre courriel. Ça vous distraira.

Étienne lance la feuille dans un coin de sa cellule.

— Je veux téléphoner à mon avocat.

— Évaporé, votre avocat. Pour trois jours.

— J'ai droit à un appel!

Étienne téléphone à Frédéric et le supplie de venir le libérer. Dans l'attente de son ami, il prend la feuille et lit. C'est un message de Judith qui lui annonce son séjour en Afrique : la grossesse de Lorraine — oui, elle l'a apprise de Lisette — démontre bien le choix d'Étienne. Elle avait pourtant espéré qu'il en serait autrement. Elle a besoin de se sentir utile à quelqu'un; elle va donner une formation en électronique à une équipe du Burkina Faso. Elle partira donc pour quelques mois. Et si tout va bien, pour plus longtemps.

Bruno s'est attablé à son ordinateur. Exceptionnellement, il a laissé la porte ouverte.

> *... le juste retour des choses... les derniers bercements scandent... le point de convergence s'opère... Étienne est en prison... prisonnier de lui-même... de son incompétence à vivre... il a tué ma mère... Étienne est en prison... il a tué son père... et moi, je suis en voie de renaissance...*

Bruno va faire un premier essai sur ses lecteurs. Il envoie par courriel ce segment à Judith et à Lorraine.

En soirée, Frédéric s'amène avec la caution — l'héritage de Sophie —, et fait libérer son ami. Il reconduit Étienne chez lui.

— Veux-tu bien me dire ce que t'as fait pour te retrouver en prison ?

— Je suis accusé de la mort de mes parents.

Frédéric est sidéré. C'est impossible. Il est tellement sous le choc qu'il ne dit plus un mot de tout le trajet.

Bruno entend la voiture entrer dans la cour, il ferme vite sa porte de chambre. Il prête l'oreille, reconnaît le pas d'Étienne dans la maison, puis la voix de Frédéric qui demande une bière.

— Tu vas me raconter ce qui t'a amené là.

— Je te dis que j'en ai aucune espèce d'idée.

Dès l'arrivée de Victor, Étienne se vide le cœur et lui raconte ses déboires. L'oncle comprend que la scierie de son frère est menacée s'il n'aide pas son neveu à redresser la situation. Il parlera à Rodney demain. Mais le plus pressant, c'est d'éliminer les charges qui pèsent contre Étienne.

Le lendemain matin, Victor se présente au bureau de Grisholm. Furieux d'avoir perdu son prisonnier, l'inspecteur refuse de recevoir qui que ce soit. Il n'a de temps pour personne.

— Vous allez le prendre le temps, tonne Victor, en entrant dans le bureau de l'inspecteur.

— Vous êtes qui ?

— Quelqu'un que vous auriez dû interroger dans votre enquête de pacotilles.

— Hey, hey, dehors !

Victor Bellefleur n'est pas homme à reculer. Il exige de connaître les preuves qui pèsent contre Étienne.

— Vous apprendrez tout en même temps que tout le monde, au moment du procès. En attendant, vous pouvez toujours questionner son frère, votre autre neveu, il sait tout.

— Amenez Bruno témoigner à un procès et vous serez tourné au ridicule.

— C'est un témoin oculaire, Monsieur.

— C'est un malade!

La secrétaire annonce l'arrivée de Charles Rousseau. L'avocat a coupé court à son voyage, il est venu étudier le dossier de l'inspecteur. Il entre dans le bureau, salue l'inspecteur, remercie Victor de s'être déplacé. Charles Rousseau n'a pas de temps à perdre, il va droit au but.

— Inspecteur, je veux une copie de toutes vos preuves.

— Le procureur vous fera parvenir copie des documents pertinents en temps opportun.

— Vous comprenez pas, inspecteur. Il y aura pas de procureur, car il y aura pas d'accusations portées contre Étienne Bellefleur. L'arrestation de mon client est injuste, vous faites fausse route, et je vais pas laisser compromettre l'avenir d'Étienne sous des prétextes mal fondés.

Grisholm explique aux deux hommes — Charles a insisté pour que Victor soit témoin de l'entretien — que Bruno lui a raconté qu'Étienne est le dernier à avoir touché à la voiture de ses parents avant leur départ. C'est lui qui a sorti la voiture du garage et son frère a remarqué que ça lui avait pris du temps. Il nous a suggéré de fouiller dans l'ordinateur d'Étienne et de suivre l'historique des dossiers consultés sur Internet. Et c'est là que l'inspecteur est tombé sur une page avec dessins et explications du système de freins de la Cadillac, même modèle, même année que celle de Georges Bellefleur. Pour lui, la preuve est claire.

Charles Rousseau ne croit pas ce qu'il entend.

— Avez-vous interrogé d'autres personnes, inspecteur? Quelqu'un vous a sûrement parlé de la maladie de Bruno.

— Son médecin affirme qu'il est tout à fait lucide.

Bruno continue d'écrire.

... ils se débattent... tous... ils convergent vers le coupable... Chacal aura le dernier mot... la rivière prendra mon sacrifice... je la glorifie déjà... je serai libre... justice sera enfin accomplie...

Il envoie cet autre segment à Lorraine et à Judith.

Bruno témoignera à l'enquête préliminaire, il est fin prêt, le docteur LeBlanc a confirmé sa capacité à témoigner. Étienne n'en peut plus, il demande à Charles Rousseau de le délier de ses obligations du testament de son père.

— C'est pourtant clair, Étienne : en acceptant la scierie, la maison, tu acceptais aussi Bruno.

— Je peux pas contester ?

— Non. À moins que la lettre de ton père te libère de ces obligations. Mais tu m'as dit que cette lettre changeait rien au testament... À moins que... Y aurait-il pas une phrase, un mot...

— Je l'ai relue tant de fois, cette lettre, je la connais par cœur.

— Et alors ?

— Rien.

— Commençons par te faire innocenter du meurtre de tes parents.

Charles Rousseau demande l'aide de Victor pour parler aux amis d'Étienne, surtout ses amis les plus proches, leur tirer des confidences. Ne serait-ce qu'une petite phrase échappée par hasard, tout peut être important. Il faut discréditer Bruno devant le juge.

Frédéric constate qu'Étienne est distant depuis quelque temps. Toutefois, il reste convaincu que son ami n'a pas causé la mort de ses parents, c'est impossible. Il avait décidé d'honorer son engagement, il aimait son père, sa mère, ça, Frédéric en est convaincu. Quant à Bruno, il ne se fierait jamais à lui. Il l'a vu agir et le trouve sournois, détestable. Il ignore le nom de sa maladie, mais il en a certainement une pour avoir fait ce qu'il a fait aux œuvres de sa mère. Et puis son attitude au salon lui paraissait très suspecte.

Lorraine accepte à contrecœur de rencontrer Victor. Il constate la grossesse.

— Étienne croit que tu t'es fait avorter.

— J'en ai pas eu le courage.

— Il est au courant ?

— Non.

— Qu'attends-tu pour lui dire ? Ça l'aiderait.

— S'il le sait, il va insister pour que j'aille vivre avec lui.

— Dans les circonstances, ça serait peut-être la chose à faire ?

— Savais-tu, Victor, qu'Étienne est obligé de fermer sa chambre à clé pour dormir ?… Parce qu'une nuit, Bruno a essayé de l'étouffer pendant son sommeil.

— …

Victor s'entretient avec Étienne sur les possibilités de vendre peut-être la scierie s'il n'a pas les capacités de la gérer.

— Le testament est clair.

— Je me souviens de rien qui t'oblige à rester propriétaire.

— Les hommes ont besoin de travailler.

— Ils pourront travailler pour un nouveau propriétaire. Peut-être devrais-tu vendre avant qu'il soit trop tard.

L'enquête préliminaire tire à sa fin ; les preuves convergent vers Étienne. Il y aura procès. Étienne est atterré. Charles Rousseau paie une autre caution pour lui laisser ses derniers moments de liberté peut-être. Il l'encourage à ne pas désespérer : il saura bien trouver des preuves, il va y consacrer tout son temps, il saura le faire innocenter. Étienne voudrait croire les encouragements de l'avocat, mais il doute.

Il marche dans la rivière d'automne, l'eau froide lui gèle les pieds. Bruno est dans sa chambre.

> *... les derniers bercements scandent les pas du traître... la berceuse... la berceuse berce en temps réel...*

VII

La date du procès approche. Ni Lisette, ni Sophie, ni Frédéric, et surtout pas Lorraine, n'ont pu fournir d'arguments nouveaux pour aider Étienne. Chacun doute de l'équilibre mental de Bruno, mais aucun n'est médecin ni psychiatre. Chacun croit connaître Étienne suffisamment pour l'innocenter, mais de preuves, personne n'en a pour démontrer hors de tout doute son innocence. Le seul témoin prétendument oculaire a été jugé apte à comparaître. Il comparaîtra. Le procès est imminent et Bruno témoignera devant juge et jury.

… je suis le gardien de la mémoire… Étienne est un faible… je suis né dans le torrent…

Étienne marche dans la rivière, Bruno le regarde s'éloigner.

Victor est retourné à Montréal ; il jongle avec les investissements des riches.

Charles Rousseau est bien songeur dans son fauteuil, Jacqueline le regarde, mais ne dit rien.

Judith atterrit au Burkina Faso.

Étienne marche dans la rivière, il est tard, Bruno le voit se diriger vers le remous. Il monte dans sa chambre et ferme à double tour.

… les derniers bercements scandent les pas du traître… j'écris en temps réel… mes mots guident les pas d'Étienne…

et j'alimente le monstre de la rivière... j'offre mes mots en sacrifice au monstre de la rivière... pour qu'elle ne me trahisse point...

Le téléphone sonne, Bruno laisse sonner.

... ils arriveront trop tard... Étienne a déjà franchi le chemin de sa destinée... je mettrai des flagelles de pin sur son trépas... demain, quand la berceuse bercera le silence autour de moi... je descendrai à la rivière, j'ornerai le trépas d'Étienne... comme celui de ma mère... qui l'a préféré...

Une chauve-souris frôle la fenêtre de la chambre, elle revient, se pose sur le rebord, comme si elle regardait à l'intérieur.

... car chacun porte désormais en lui les cicatrices d'une fin d'été... les cicatrices perpétuent la mémoire... autant de serpents venimeux dans les rêves inachevés... autant de monstres hybrides, tentaculaires...

Étienne continue sa progression vers le remous. Le pin veille sur la rive d'en face, le seul point de repère de son enfance. Cette semaine, le bran de scie dégageait une odeur âcre. Étienne a ce relent fétide au fond de la gorge. Il a cru pourtant un jour à la magie de ces fines particules dorées. Où sont les petites joies qu'il devait semer sur ses dimanches ? Il aperçoit la nappe insidieuse qui couvre le remous, il est à mi-jambe dans la rivière. Il marche vers le pin. L'eau lui arrive à mi-cuisse, il avance vers le centre de la rivière, il imagine des fleurs étalées sur la nappe d'eau qui couvre le remous. Une truite lui frôle la jambe. Il sursaute, continue lentement son avancée dans l'eau. Il marche sur les galets, arrondis par les années de caresse de l'eau.

Le téléphone sonne chez Lorraine, elle répond.

— Le chacal est né.

— Bruno ?

— L'ennemi s'éteint, Chacal naît.

— Bruno ? Qu'est-ce qui se passe ?

— Adieu, Lorraine. T'as pas compris que je t'aimais.

Puis, c'est le silence au bout du fil. Lorraine reste hébétée.

... il n'y a plus de retour possible... l'ennemi s'éteint, Chacal naît... enfin... toutes ces années qu'il m'a fallu pour me créer... Chacal... je nourris le remous tant je crains que la rivière me trahisse... je suis né, Chacal, dans le tumulte de ses eaux... car j'étais déjà né... et la berceuse du temps sur le reste de mes jours...

Bruno ferme le document et écrit à son éditeur.

Monsieur,

Vous trouverez ci-joint La berceuse du temps *que je vous promets depuis des années. Enfin, Chacal est véritablement né.*

Il envoie son message et descend au salon, Étienne est face au remous, Bruno aperçoit sa silhouette au loin. Il s'assoit dans la berceuse de sa mère, se recroqueville, les genoux sous le menton. Il se berce, les yeux dans le vide. Le cœur satisfait, il se berce.

Étienne avance dans cette eau froide qui le saisit de plus en plus à chaque pas. Il frissonne, se lève sur le bout des pieds, un réflexe de survie peut-être. Le pin, en face, le pin veille sur lui. Étienne continue sa progression, l'eau lui arrive presque au cou, le lit de la rivière devient sableux à cet endroit, la nappe d'eau à peine grouillante, il se lève sur le bout des pieds, ses orteils creusent un peu le sable, le lit de la rivière est fragile sous ses pieds. Étienne n'a jamais approché si près du remous ; il ne sait pas à quel moment le tourbillon prend d'assaut. Il sent l'eau presque stable autour de ses jambes, il sent à peine le courant de la rivière qui descend, il ne sent pas non plus le tourbillon qui doit avaler celui qui s'aventure trop proche. Combien de pas peut-il faire avant d'atteindre sa limite de résistance ? Combien de pas encore avant que le monstre l'avale ? Il imagine toutes ces fleurs étalées sur la nappe d'eau, ces fleurs qui ornent les trépas et, parmi elles, deux oiseaux du paradis. Ils montent haut et fiers, comme s'ils voulaient prendre leur envol. Étienne pense à son père, à sa mère. À la demande de sa mère, son père a planté un pin pour le protéger, lui, et tous les enfants du village. Étienne recule d'un pas, la nappe d'eau est à peine visible dans la pénombre.

Bruno se berce, les jambes recroquevillées. Il se berce en attendant qu'on vienne lui annoncer ce qu'il sait déjà. Alice s'occupera de lui, c'est sa marraine, elle lui a promis.

Étienne fixe ses oiseaux du paradis qu'il imagine déposés sur le remous. Il n'est pas retourné au cimetière comme il se l'était promis. Il ne pouvait envisager la stèle de ceux qu'il a l'impression de trahir chaque jour depuis leur mort. Il s'offre à la rivière, la seule qui veuille encore de lui, la seule qui puisse encore l'accueillir avec toute sa honte.

— Étienne !

La rivière l'invite. Elle a pris la voix de Lorraine. Étienne ne se retourne pas, son corps commence à s'engourdir dans l'eau froide.

— Étienne ! Reviens !

— Étienne, reviens, mon garçon !

— Je vous en supplie, Monsieur Rousseau, faites quelque chose.

Lorraine est au bord du désespoir. Charles Rousseau se sent tellement impuissant. Même s'il voulait aller chercher Étienne, il se noierait avant même d'atteindre le milieu de la rivière. Lorraine entre dans l'eau en criant.

— Étienne, reviens !

Étienne entend la voix. Lorraine lui crie en avançant le plus vite qu'elle peut, cette voix ne vient pas du remous. Lorraine trébuche, tombe dans l'eau. Étienne se retourne, il ne voit rien, mais fait un pas vers la voix. Lorraine nage le plus vite qu'elle peut. Étienne sent le sable doux sous ses pieds. Où est la frontière entre sa résistance et la puissance du remous ? Il sent le point mort de l'eau sur ses jambes, le point mort où l'eau n'est plus le courant, mais pas encore le début du tourbillon, le point mort, juste avant le point de non-retour.

Entre chaque brasse, Lorraine crie à s'époumoner.

— Étienne ! Reviens !

Étienne se détourne vers le remous, regarde le pin en face de lui, dans la pénombre. La lune éclaire à peine à travers les branches du conifère. Il pense à sa dernière veillée avec la lune. Il fait un pas de plus vers le pin. Lorraine pousse un cri, un râlement qui lui sort des entrailles.

— Noooon !

Étienne arrête, se tourne vers le cri, Lorraine tend la main vers lui, Charles ne voit que deux points d'ombre au-dessus de l'eau, il retient son souffle. Lorraine tend la main vers Étienne.

— Approche, Étienne, prends ma main.

Il reste silencieux, elle insiste.

— Je peux pas aller plus loin.

Fatiguée, elle tente de reprendre pied, mais ne peut pas toucher le fond. Elle recule d'une brasse.

— Viens, Étienne.

Elle recule d'une autre brasse, touche enfin le fond du bout des pieds.

— Je t'en supplie.

— J'en peux plus.

— Viens-t-en. Prends ma main…

Elle commence à grelotter.

— Étienne… fais pas ça.

Il se retourne vers le remous, le grand pin dresse sa silhouette fière, il fixe le conifère.

— Étienne, je t'aime…

Il recule d'un pas. Elle continue à le convaincre.

— Étienne! regarde-moi!

Étienne ne bouge pas.

— Je t'aime.

Lorraine garde la main tendue vers lui, l'autre sur son ventre.

— Pour notre fille! Reviens!

Étienne recule d'un autre pas, il est à proximité de Lorraine. Elle le prend autour de la taille, le tire contre elle, il sent le battement de son cœur dans le dos, il sent le petit ventre rond sur ses fesses. Elle recule encore de quelques pas, l'entraînant doucement pour l'éloigner du remous. Étienne sent les cailloux sous ses pieds, il reprend progressivement ses esprits. Il a encore manqué son coup. Il marche lentement vers le rivage, abattu. Il a encore manqué de courage, n'a pas pu aller au bout de son geste. La blessure du désespoir lui tord les entrailles. Il marche derrière Lorraine. Elle lui tend la main, il la refuse.

Étienne avale la boule qui se gonfle au fond de sa gorge, un goût amer le fait grimacer.

Charles n'en peut plus d'attendre, il crie.

— Étienne! Lorraine!

— On arrive dans la section creuse, il va falloir nager, dit Lorraine.

— Je connais ma rivière, je sais quand nager.

Lorraine nage pour traverser la petite section qui lui passe par-dessus la tête. Étienne nage à peine quelques brasses, l'eau lui arrive au cou. Ils auraient pu traverser sans nager s'ils avaient pris en diagonale, mais la ligne droite, entre le pin et le sentier, est plus rapide pour sortir de l'eau. Lorraine a très froid. Ils se relèvent et marchent jusqu'à la rive.

Charles court à leur rencontre, prend Étienne dans ses bras, il pleure comme s'il avait craint de perdre son propre fils. Ils entrent dans la maison. Bruno se berce dans la demi-obscurité, le regard livide. Il blêmit davantage à la vue d'Étienne dégoulinant, épuisé, le regard si triste. Bruno reste les yeux dans le vide, le visage blanc. Lorraine ne dit rien, elle n'ose pas le regarder.

Charles prend la situation en main.

— Allez vous sécher pendant que je prépare un bouillon chaud.

Étienne monte à l'étage, honteux de lui-même. Lorraine monte elle aussi, elle s'enferme dans la salle de bains. Étienne lui porte des serviettes, une de ses robes de chambre en ratine. Bruno reste au salon. Les bercements s'amplifient. Il est saisi d'un tremblement. Charles fouille dans les armoires, sort une casserole, il cherche partout quelque chose qui pourrait faire un bouillon chaud. Étienne entre dans la salle de bains de ses parents, file sous la douche. Il ne peut plus retenir ses sanglots.

Lorraine sent un mouvement dans son ventre, son enfant a bougé. Elle ferme la douche, se sèche en vitesse, court jusqu'à la chambre de Georges et Irène. Bruno écoute les pas légers et rapides dans le corridor, Lorraine appelle tout bas.

— Étienne!

Elle entend le bruit de l'eau qui coule. Elle frappe deux petits coups à la porte, Étienne ne répond pas. Un son plaintif parvient jusqu'à elle, un râlement suivi de sanglots. Elle se précipite.

— Étienne?

Il ne répond pas, il ne peut plus maîtriser sa détresse. Elle enlève sa robe de chambre et se faufile derrière le rideau. Elle l'entoure et colle son ventre contre son dos.

— Je te demande pardon.

Ils restent là un bon moment, Étienne se calme un peu, l'enfant bouge à nouveau.

— As-tu senti?

— …

— Dans ton dos, le petit mouvement?

— …

— Là? As-tu senti?

— Oui.

— C'est ta fille, notre fille.

Elle le serre, lui donne un baiser dans le dos.

— Je te demande pardon.

Étienne allonge le bras, ferme la douche, se sèche, met sa robe de chambre et va rejoindre Charles à la cuisine. Lorraine le suit, silencieuse.

— C'est pas la soupe de Jacqueline, mais ça va quand même vous remettre d'aplomb.

Charles va au salon, se prend un whisky. Dans la berceuse, Bruno tremble. Charles lui jette un œil teinté à la fois de mépris et de pitié.

— Tu veux du bouillon, toi aussi?

Bruno éprouve de violents spasmes. Charles le laisse seul, il revient à la cuisine. Lorraine et Étienne boivent par petites lampées, en silence, sans se regarder. Charles les observe en buvant son whisky. Étienne a terminé, il dépose sa tasse.

— Merci, Charles.

— C'est Lorraine qu'il faut remercier.

— Pour le bouillon…

Étienne jette un œil à Lorraine.

— Pour le reste, elle aurait pas dû.

Elle lève les yeux vers lui, s'apprête à parler. Il lui fait un petit geste de la main pour lui signifier de se taire. Il la regarde longuement, droit dans les yeux.

— T'aurais dû me laisser la dernière parcelle de liberté qu'il me restait. Ma dernière chance de pas être tout à fait un lâche!

Il sort de la cuisine, Lorraine reste avec Charles Rousseau. Elle regarde l'avocat, désemparée. Charles lui prend la main.

— Il souffre beaucoup. Donne-lui le temps de se remettre un peu. Sois patiente. Reste avec lui et sois patiente.

— J'ai peur de Bruno.

— La chambre d'Étienne a une serrure.

— Restez. S'il vous plaît, Monsieur Rousseau, restez encore un peu.

Bruno se berce, il tremble de plus en plus, il s'agrippe aux bras de la berceuse.

— Je berce…

Étienne s'est enfermé dans son bureau.

Pourquoi reculer devant sa mort? Papa, je ne suis pas digne de ta confiance. Je n'ai pas le courage d'aller plus loin; et pourtant, je n'ai pas eu le courage de mettre fin à ma route. Papa, pourquoi être parti si tôt ? Libère-moi, je t'en supplie.

Un cri retentit du salon.

— Je berce !

Lorraine se lève d'un bond, Charles Rousseau la retient.

— Laisse.

— Il a peut-être besoin d'aide.

— Pas de toi. Reste ici.

Un bruit lourd coupe la conversation, Charles se lève. Le pas lent de l'homme trahit sa contrariété. Il a une pensée de compassion pour Irène et Georges qui ont enduré Bruno toute leur vie. Il entre au salon. Bruno gît sur le plancher, une écume blanche s'écoule de sa bouche. Il râle.

— Chacaaaaal !

Charles se penche au-dessus de lui et crie.

— Lorraine, 9-1-1 !

Étienne se rue au salon, il voit Bruno en pleine crise.

— Je l'ai jamais vu comme ça.

— Un bâton, un stylo, n'importe quoi. Faut l'empêcher de se mordre la langue.

Étienne cherche autour, Charles aperçoit la *Mont Blanc* dans sa main, il la saisit, la place de travers dans la bouche de Bruno qui tremble de plus en plus.

— Aide-moi à le tourner sur le côté.

Lorraine arrive au salon.

— L'ambulance s'en vient.

Elle enlève la plume de la bouche de Bruno. Elle parle doucement à Bruno pour le calmer, pousse la berceuse pour l'empêcher de se blesser. Impuissants, Étienne et Charles observent la scène.

Les ambulanciers arrivent enfin. Les convulsions ont cessé, mais Bruno semble carrément dans un autre univers. Les ambulanciers l'installent sur la civière. Étienne veut accompagner son frère, mais Charles le retient. Il remet la carte d'assurance-maladie aux ambulanciers et les met en garde contre une fuite possible de leur patient.

— C'est peut-être un autre de ses subterfuges.

— Dans cet état-là, impossible, Monsieur.

Dans la maison Bellefleur : trois silences, trois fauteuils, trois solitudes. La berceuse est restée au centre du salon. Étienne fixe la chaise. Lorraine réfléchit, les deux mains posées sur son ventre. Charles les observe : un avenir prometteur, un avenir blessé. La plume dorée est restée sur le plancher. Lorraine se rend compte qu'il s'agit de la *Mont Blanc* d'Étienne. On a mis sa plume en or dans la bouche de Bruno, il l'a mordue, y a laissé ses marques. Les empreintes dentaires de Bruno et l'écume séchée sur le cadeau d'anniversaire. Étienne regarde sa *Mont Blanc* par terre. L'amertume lui serre la gorge.

Lorraine est au bord des larmes. Elle éprouve un haut-le-cœur, court à la salle de bains. Les hommes l'entendent vomir. Étienne regarde dans la direction de la salle de bains, y va cette fois de son sarcasme.

— C'est pas le matin, ce dégobillage-là ?

— Tu es blessé, Étienne…

— Blessé, humilié, enragé... Impuissant surtout.

— Donne-toi du temps.

— Le temps est bon qu'à détruire.

De l'escalier, Lorraine entend la dernière remarque d'Étienne. Elle saisit alors les intentions de Bruno. Toutes ses ruses pour anéantir son frère, elle y a collaboré inconsciemment, elle n'est pas intervenue quand il a envoyé ces deux courriels bizarres à elle et à Judith. Pas seulement une, mais deux fois. Et elle n'est pas intervenue. Elle l'a aidé à détruire Étienne. Mais Étienne survivra, elle se le jure. Lorraine est fatiguée, épuisée, elle s'adosse dans un coin du divan et ferme les yeux. Charles lui suggère de se coucher dans un lit. Étienne lui offre la chambre d'amis.

Lorraine monte à l'étage, un relent de fiel persiste dans sa gorge. Elle grimace, passe devant la chambre de Bruno, un frisson lui traverse les épaules. Elle dormira dans la seule autre chambre qui ferme à clé, celle d'Étienne. Elle se couche, abattue, triste et épuisée. Elle n'entend plus la voix des deux hommes, restés au salon.

— Étienne, pourquoi ?

Un long silence. Étienne se décide à répondre.

— Je peux pas envisager ce procès.

— Y a des procès chaque jour. Crois-moi, on survit à ce genre d'événement.

— Même innocenté, j'aurai jamais la paix.

Charles demande à lire la lettre que Georges lui a laissée. Il insiste pour la voir maintenant. Étienne va la chercher dans la poche de son veston. La lettre n'y est plus. Il fouille parmi les papiers sur son bureau, elle n'y est pas. Il regarde autour de lui, ne la voit pas. Il pâlit. On dirait un spectre, la peau blafarde, les yeux hagards. Il a perdu la lettre, c'était l'original, il n'a pas suivi le conseil de maître Rousseau de s'en faire une copie. Il tente de se justifier.

— De toute façon, je l'ai lue tant de fois, je la connais par cœur.

— Même la phrase où ton père a écrit : « Fais seulement ce que tu peux. » Ou quelque chose comme ça.

— Il a pas écrit ça.

— Sophie Bouchard prétend que tu lui aurais dit cela dans la pièce où vous avez lu vos lettres respectives.

— J'ai dit ça à Sophie ?

— Semblerait, oui. Elle a pris la peine de me téléphoner d'Ottawa pour me le répéter.

Étienne se sent ridicule, il retrouvera la lettre, il a dû la laisser dans sa chambre, ou ailleurs, par mégarde. Il la retrouvera.

— Charles, qu'est-ce qui vous a amené ici, ce soir ?

— Lorraine. Elle a eu un appel de Bruno. Il racontait une histoire de chacal. J'ai pas trop compris, mais pour Lorraine, c'était clair qu'il y avait un danger.

Charles est très fatigué. Il fait promettre à Étienne qu'aucun autre drame ne surviendra dans cette maison et part. Étienne monte à sa chambre, se met au lit, il sent la présence de Lorraine. Il amorce un mouvement pour se relever, mais la fatigue a raison de lui. Il s'abandonne sur le dos, se ramène les bras contre lui pour ne pas la toucher.

Étienne regarde le plafond de sa chambre. Aucune ombre. La lune était descendante ce soir. Tout est noir, une nuit d'encre comme on n'en voit qu'à la campagne. Il sent Lorraine à ses côtés, elle dort. Un petit ronflement s'échappe de temps à autre, qui vient rompre le trop lourd silence sur les tempes d'Étienne. Il pose les mains et les bras par-dessus les couvertures. Malgré la fraîcheur de la nuit qui avance, il ne veut pas frôler Lorraine. Il ferme un instant les paupières, il est pris de vertige, comme s'il était happé par une force irrésistible, fluide, comme s'il descendait dans un tourbillon. Étourdi, il ouvre les yeux pour échapper à la peur, le vertige s'atténue. Il pose ses mains sous sa nuque et continue, dans le noir, de fixer le plafond.

Lorraine se retourne dans le lit. Dans son sommeil, elle glisse son bras sur le torse d'Étienne, un bras endormi, lourd. Étienne pose la main sur celle de Lorraine. À travers les couvertures, il sent la main qui l'a tiré du remous, la main qui a sauvé Bruno. Elle dort à ses côtés, dans son lit. Elle porte sa fille. Étienne s'endort sur cette pensée.

La lumière du jour pénètre lentement par la fenêtre. Lorraine s'éveille tranquillement. Étienne dort encore, elle sent la main chaude sur son ventre, elle ne bouge pas. A-t-il délibérément posé sa main sur son ventre, ou n'est-ce qu'un geste inconscient pendant le sommeil ? Elle profite de cet instant, peut-être le dernier, peut-être le seul où la main d'Étienne reposera sur son ventre rond. Elle goûte ce moment, elle s'imprègne de cette sensation de chaleur. La nuit semble l'avoir calmé. Elle ouvre les yeux sur le tableau d'Irène, accroché au mur en face du lit. Elle regarde les lilas, la fenêtre ouverte, comme si elle se retrouvait elle-même dans la scène, dans l'aube d'un matin clair.

Étienne s'éveille progressivement. Pendant la nuit, pendant qu'il dormait, il a rentré les bras sous la couverture, il a posé sa main sur le ventre de Lorraine. Il sent maintenant la rondeur dans la paume de sa main. Quelque chose bouge : est-ce vraiment une fille ? Étienne décèle un autre petit mouvement, sa fille grandit dans le ventre de Lorraine. Il aime cette chaleur au creux de sa main, il l'inscrit dans sa chair, pour la ressentir à nouveau les jours de solitude, les jours de tristesse, les jours heureux aussi, quand les cloches de l'église sonneront, même s'il ne croit plus aux anges. Lorraine sait qu'il est éveillé, elle a perçu un léger soubresaut quand le fœtus a bougé. Elle pose doucement sa main sur celle d'Étienne. Elle attend sa réaction. Il feint de se réveiller, retire sa main en se retournant sur le dos. Les événements de la veille lui reviennent en mémoire, un à un, dans le désordre. Il ne sait trop quel événement a précédé l'autre. Il ouvre les yeux. Le tableau de sa naissance, *Lilas*, sur le mur au pied de son lit. Le souvenir de sa naissance, dans la douce odeur de lilas.

Il se lève, descend préparer le déjeuner. Déçue, Lorraine hésite un instant, puis le rejoint à la cuisine. La fenêtre laisse apercevoir l'érable précoce, les branches dénudées, déjà prêt pour l'hiver. Ils déjeunent en silence, le malaise ne semble pas vouloir s'estomper. Lorraine se lève, remercie Étienne et va s'habiller. Elle doit remettre ses vêtements de la veille. Le tissu est raide, inconfortable. Elle sort sur le patio. Du côté de la rivière, l'automne sent bon au soleil, la rivière coule paisiblement au pied de la maison. Lorraine pourra-t-elle un jour en oublier toute la douleur et la trouver belle de nouveau ? Elle en doute. Étienne est fin prêt, il la rejoint sur le patio, s'approche d'elle.

— Tu vomis pas, le matin ?

— Non. Je suis parmi les chanceuses.

— Mais hier soir ?

— C'était la deuxième fois, mais c'était pas dû à la grossesse.

— Ah ? Et la première fois ?

— Tu veux pas le savoir.

— Oui.

— …

— J'y tiens.

— Le soir que t'étais en prison.

Ils ne diront plus rien. Étienne la conduit chez elle et se rend à l'hôpital. Bruno a été admis en psychiatrie. Il est sous les soins du docteur Sansfaçon, c'est lui qui était de garde hier soir et qui a fixé rendez-vous en après-midi pour la famille.

— Sa seule famille, maintenant, c'est moi.

Étienne sort de l'hôpital, décontenancé, il ne sait trop où aller, quoi faire. Son cellulaire sonne.

— Étienne, as-tu trouvé la lettre de Georges ?

— Pas encore. Je sors de l'hôpital.

L'avocat lui conseille de retourner chez lui et de retrouver la lettre de son père. C'est urgent. Pour se débarrasser de cette culpabilité qui le lie à une promesse faite sur le moment de l'émotion. Étienne doit pouvoir se libérer de Bruno qui, de toute évidence, sera incapable de témoigner à un quelconque procès.

Étienne obéit et retourne chez lui. Il passe devant la scierie et n'arrête même pas. Béatrice se voit dans l'obligation de repousser Sébastien Caron qui demande à le voir depuis deux semaines. Le traumatisme de l'incendie l'empêche de revenir à la scierie, il n'a rien devant lui. Georges lui avait promis qu'il ferait tout pour l'aider, et Sébastien a un projet, il veut en parler à Étienne, mais son nouveau patron est toujours occupé ailleurs, il a d'autres problèmes.

Étienne rentre chez lui et fouille son bureau pour retrouver sa lettre. Il inspecte minutieusement tous les recoins où il aurait pu la déposer par mégarde. Cela lui semble improbable, il la replaçait toujours si précieusement dans la poche de son veston. Il soulève le jeté sur la chaise de lecture, regarde sur le plancher. Le livre *Les eaux brisées* gît dans un coin, près de la poubelle. Il l'avait lancé à travers la pièce, hier, dans un mouvement de désespoir. Étienne ramasse le recueil, l'ouvre, il lit.

> *... la rivière scinde la terre... elle se fait un lit et toi, tu ronfles déjà... tu t'endors dans un sommeil douceâtre...*

Étienne est pris d'un mouvement de rage, il relance le livre vers la poubelle. Ces écrits le plongent constamment dans le doute. Il continue de fouiller son bureau pour chercher la lettre de son père. Il regarde partout, au salon, dans la cuisine, sous les meubles, dans sa chambre. Sa respiration s'accélère. Il court partout dans la maison. Si cette lettre lui permettait de se libérer de Bruno, de la scierie peut-être, si cette lettre contenait une volonté qu'il n'a su déceler, une phrase qui lui permet d'être enfin lui-même, de réaliser ses propres rêves. Il remonte l'escalier en courant, pour la troisième fois, revérifier, si cette lettre lui permettait enfin de…

— Je veux vivre!

Dans son cri et sa rage, Étienne donne un coup de pied dans la porte de la chambre de Bruno. La porte s'ouvre, frappe contre le mur et revient vers lui. Elle n'était même pas complètement fermée. Étienne reste saisi. Le halètement de sa respiration est le seul son dans la maison. Il regarde la chambre de Bruno : le lit défait, la commode embarrassée, un secrétaire tout aussi désordonné, un ordinateur portable, des papiers épars. Étienne ne sait plus s'il doit entrer ou refermer le repaire de Bruno. Il fait un premier pas dans l'embrasure de la porte, il arrête, hésite, fait un second pas. Ces papiers près de l'ordinateur, Étienne jette un coup d'œil.

> *… les immortelles sont fragiles… comme ton âme si faible…*

Étienne fouille les papiers, couverts de fragments, écrits, raturés, récrits.

> *… et je berce le temps qu'il me reste… le temps des immortelles…*

Perplexe, Étienne lève les papiers, un après l'autre. Tous des fragments, dans des termes qui lui sont si familiers. Il ouvre les tiroirs de la commode, des vêtements épars, d'autres petits bouts de papier, des transcriptions, une cassette sur laquelle est inscrit *Cri primal*. Dans un coin du tiroir, quelques pilules. Étienne les examine, les reconnaît. Bruno cachait ses médicaments, il ne les avalait pas, faux rituel chaque fois dans le coin d'une pièce. Étienne retourne au secrétaire, ouvre le tiroir. Des lettres sont enrubannées, celle du dessus vient de Minerve, petit village des Laurentides, elle est adressée à Étienne Bellefleur. Tremblant, il défait le ruban, ouvre l'enveloppe, une carte de Noël, de Judith, la carte de Noël qu'elle lui a envoyée et qu'il n'a jamais reçue.

— Le salaud!

Il regarde les lettres, toutes adressées à son nom, en date de 1987, les lettres de Judith.

— L'animal!

Étienne respire avec difficulté, son halètement s'accentue en lisant le nom du destinataire sur chacune des enveloppes. Elles lui sont toutes adressées, les lettres de Judith. Une dizaine. Toutes ont été ouvertes.

— Maudit parasite!

Il rattache les lettres ensemble, les garde dans sa main. Il les lira plus tard, toutes, de la première jusqu'à la dernière. Il écrira à Judith, lui racontera tout, il ira la voir, lui demandera pardon. Où est la lettre de Georges? Où est la lettre de son père? Le sauf-conduit vers sa liberté? La main tremblante, se croyant au bout de sa désillusion, Étienne soulève le couvercle de l'ordinateur. Sur le clavier, une clé posée sur une lettre, la lettre de son père. Étienne reconnaît les froissements du papier, l'inscription de son nom sur l'enveloppe. Il prend la lettre, la glisse précautionneusement dans sa poche de veston. La clé, enfilée d'un mince cordon brun, traîne sur le clavier. Bruno a volontairement laissé sa porte ouverte. À l'intention de qui? Étienne met la clé dans sa poche. Cette mise en scène le plonge dans une perplexité indescriptible. Une chose est désormais claire, Bruno a agi délibérément. Mais pourquoi ? Pourquoi ? Étienne fixe l'ordinateur, Bruno a-t-il seulement écrit quelque chose sur cet ordinateur ou ne s'en est-il servi que pour naviguer sur Internet ? Il l'ouvre, examine la liste des documents Word, en ordre alphabétique, *Écueils*, *La berceuse du temps*, *La crue des eaux*, *Les eaux brisés*, et la liste continue, tous des titres de Chacal. Sauf *La berceuse du temps*. Étienne ne connaît pas ce titre, il ouvre le document, lit les premières lignes.

> *... le soleil se lève parfois sur la rive ouest, comme si la vie voulait en finir avant de commencer...*

Étienne reconnaît là les vers de Chacal. Il ouvre *Les eaux brisées*, y reconnaît les textes du livre. Il vérifie encore quelques documents, tous sont identiques aux recueils qu'il a lus. Étienne revient à *La berceuse du temps*, le seul texte qui lui soit inconnu.

> *genèse de l'histoire... était-ce cette nuit d'avril, à cause de la nuit ? de la tempête ? comment trouver la sérénité quand on naît au cœur de la débâcle... ou cette nuit de Noël, ce Noël-là, il était trop tard... bien trop tard... le venin avait envahi ma tête depuis si longtemps...*

Le document continue à défiler à l'écran.

> *... j'étais le tonnerre... j'étais le dieu des éclairs... je dominais la rivière... j'étais le maître des eaux...*
>
> *... l'histoire est à jamais changée... le temps n'est plus sur la ligne horizontale... le temps est sur la verticale aléatoire... le temps devient un espace...*
>
> *... le bébé a tari le sein de la rivière... le bébé doit être puni de son crime...*

Enragé, Étienne continue sa lecture. La sueur lui dégouline sur les tempes. Il fait dérouler le document jusqu'à la fin.

> *… il n'y a plus de retour possible… l'ennemi s'éteint, Chacal naît… enfin… toutes ces années qu'il m'a fallu pour me créer… Chacal… je nourris le remous tant je crains que la rivière me trahisse… je suis né, Chacal, dans le tumulte de ses eaux… car j'étais déjà né… et la berceuse du temps sur le reste de mes jours…*

Étienne est sidéré. Il ne parvient pas à se convaincre que Chacal peut être Bruno. Malgré l'évidence, il voudrait encore croire au poète qu'il admirait tant, qui l'a influencé. Étienne se rend compte de tout ce que représente le fait que son frère puisse être ce poète. Un dernier espoir pourrait infirmer ses doutes. Il vérifie tous les documents Word, chacun porte une date antérieure aux publications de Chacal. *La berceuse* a été terminée hier, en soirée, pendant qu'Étienne marchait vers le remous. Abasourdi devant la preuve, il ne peut concevoir que Bruno ait passé sa vie à jouer ce jeu de la destruction. Il prend soudainement conscience que ses lectures de Chacal le plongeaient souvent dans une tristesse profonde, une léthargie envahissante, un dénigrement de lui-même. Bruno l'a violé jusque dans sa conscience. Même dans son inconscient. Étienne a marché à plein dans ce jeu diabolique. Il n'a rien vu, personne n'a rien vu. Il a laissé son frère le détruire jusque dans son âme. Étienne tremble de tous ses membres.

— Non ! Nooon ! Noooooon !

Son cri lui résonne dans le ventre. Il dégringole l'escalier, se précipite hors de la maison, dévale la pente jusqu'à la rivière, court sur la grève, en amont, vers le lac, opposé au remous. L'angélus sonne au clocher du village. Midi d'automne à Sainte-Croix. Étienne court, la forêt défile à sa droite. Il court dans ce couloir, entre la rivière et la forêt. Il court pour ne pas éclater. Il ne s'enlèvera pas la vie, c'est ce que Bruno voulait. Il court pour se prouver qu'il est vivant, qu'il peut vivre, qu'il a le droit de vivre et qu'il vivra. Il se répète ces phrases, comme un mantra, en courant. Il revoit les événements des dernières années, depuis le retour de Bruno, les causes de son départ, leur enfance. Étienne décortique tous les événements, établit les liens manquants, il met en place chaque pièce du casse-tête, jusqu'à ce que tout soit clair dans son esprit. Tout ce temps, Bruno a joué la comédie. Et tout le monde s'est laissé berner. Le portrait est net, désormais, dans la tête d'Étienne. À bout de force, il s'affaisse sur la grève, haletant, trempé de sueur. Épuisé, mais vivant.

Après un long moment, Étienne se tourne sur le dos, étend les bras en croix. Sa main droite trempe dans l'eau froide, et l'autre repose sur le sable. À sa connaissance, le Bois des songes est le seul endroit longeant la rivière où la grève est en sable et non en galets. Le seul endroit, environ cinq cents mètres. Il s'est échoué au Bois des songes. Il regarde le paysage autour de lui, le sentier qui monte vers la petite falaise. Il reconnaît bien le lieu. Surpris qu'il ait pu courir aussi loin, étendu à l'endroit même où son père s'est échoué il y a plus de cinquante ans, sur la grève sablée du Bois des songes. Il reste étendu encore un moment, ferme les yeux, son père avait tant de courage. Étienne a soif, terriblement soif. Il s'agenouille, se rince le visage à la rivière, boit son eau vivifiante.

Il est presque quatorze heures quand Étienne rejoint Charles à l'entrée de l'hôpital.

— J'ai trouvé la lettre.

— Y a une heure que je t'attends.

Charles le considère étrangement dans son habit froissé et poussiéreux qui dégage une forte odeur de sueur.

— On dirait que tu t'es battu.

— Je vous raconterai.

Le docteur Sansfaçon les reçoit malgré leur retard. Bruno est sous une puissante médication, on ne pourra le voir aujourd'hui. Le docteur consent toutefois à ce qu'Étienne jette un œil par la porte entrouverte : Bruno est recroquevillé sur son lit, des gémissements sortent de sa poitrine.

— Nous avons rien pu obtenir de lui.

— Il ne faut pas trop y compter.

Le docteur Sansfaçon entraîne Étienne dans son bureau, Charles les suit. Ils disent tout ce qu'ils savent, mais Étienne ne parle pas de l'ordinateur, ni des textes, ni de Chacal. Les deux hommes remercient le médecin et se retirent.

Dans l'intimité de son bureau, Charles lit la lettre de Georges à son fils. Il trouve enfin la phrase clé : « Fais de ton mieux à cet égard. Et souviens-toi, à l'impossible nul n'est tenu. »

— La voilà ! Elle est là, bien écrite. Je vais parler à Victor.

— Il me suggère de vendre la scierie.

— Il a peut-être pas tort.

Lueur d'espoir pour Étienne qui n'a pas encore raconté à Charles la raison de son retard et de cette tenue négligée. Il a un peu honte quand il pense qu'il s'est présenté ainsi devant le docteur Sansfaçon. Que va-t-il penser de lui ?

— Maintenant, si tu m'expliquais cette tenue ?

Étienne rapporte ce qu'il vient de découvrir. Il dit tout ce qu'il sait, ce qu'il croit savoir, ce qu'il en conclut, de Chacal, des textes, et enfin de *La berceuse du temps*. Charles Rousseau est abasourdi. Cet ordinateur est leur pièce à conviction.

Étienne retourne à Sainte-Croix récupérer l'ordinateur de Bruno. Il arrive chez lui, Alice est là.

— Où c'qu'est Bruno ?

— À l'hôpital.

Elle blêmit, le regard fixé sur Étienne. Il lui raconte l'essentiel des faits.

— Le grand mal ?

— Il faut attendre avant de savoir. Pour l'instant, Bruno peut recevoir aucune visite.

Étienne se douche rapidement, enfile des vêtements propres. Il demande à Alice, quand elle partira, de laisser toutes les portes ouvertes.

— Toutes. Y compris la chambre de Bruno.

— O.K.

Alice se remet au ménage.

Étienne arrive au bureau de Charles Rousseau et lui remet le portable.

— T'as dit *La berceuse du temps* ?

— J'ai pas lu tout le document, mais suffisamment pour comprendre que Bruno a commencé ce texte il y a plusieurs mois. Il l'a terminé hier soir, juste avant sa crise. Il était certain que j'allais me jeter dans le remous. J'ai l'impression que toutes les clés du mystère sont dans ce manuscrit. Et que c'est pas de la fiction.

— Tu crois que tu saurais en faire la preuve devant le juge ?

— J'en suis persuadé.

Charles ouvre le document de *La berceuse du temps* et commence à lire.

… genèse de l'histoire…

… était-ce cette nuit d'avril, à cause de la nuit? de la tempête? comment trouver la sérénité quand on naît au cœur de la débâcle?…

Étienne explique la référence à la naissance de Bruno.

— Dieu! J'oublierai jamais cette nuit.

— Vous étiez là?

— Non, ton père me l'a racontée.

… ou cette nuit de Noël, ce Noël-là, il était trop tard… bien trop tard… le venin avait envahi ma tête depuis si longtemps…

— Ce Noël-là, je crois que c'est il y a deux ans. Quand il est revenu. C'est ce Noël-là qu'il m'a offert *La crue des eaux*. Le premier cadeau de toute sa vie.

— Qu'est-ce qui te fait croire que c'est ce Noël-là en particulier?

— Lisez ce qui suit.

… le temps s'est perdu dans l'espace, les cendres du volcan n'arrivent plus à retomber sur la terre, comme la cendre des tours jumelles…

— Il a pas pu écrire ça avant les événements du 11 septembre.

Charles Rousseau lit pendant un moment, Étienne lit par-dessus son épaule.

… j'étais le tonnerre… j'étais le dieu des éclairs… je dominais la rivière… j'étais le maître des eaux…

Étienne raconte à Charles le premier grand incident, qu'il a toujours gardé secret. L'avocat se rend compte du sérieux de la situation.

— En effet, pas besoin de grande analyse, il s'agit de connaître les faits auxquels il fait référence. On détient peut-être une clé.

— La clé. J'en suis persuadé.

Charles demande à la secrétaire d'imprimer trois copies du document. Étienne et Charles liront le texte chacun de leur côté, et la troisième copie sera déposée comme élément de preuve. Charles apportera l'ordinateur à son plus jeune fils pour qu'il fasse une copie du disque dur et l'inspecte de fond en comble.

— On apporte ça à Grisholm et au procureur. On fait annuler le procès.

Étienne fait part à Charles de la cassette intitulée *Cri primal*, qu'il a trouvée dans la chambre de Bruno.

— On fouillera systématiquement cette chambre.

Étienne défait le ruban rouge qui libère les lettres de Judith. Il lit toutes les lettres dans un ordre chronologique, le souvenir de ses joies d'adolescence rejaillit. Il attendait son arrivée chaque année en juillet, regrettait son départ à la fin août, elle lui écrivait des mots de passion, parfois pendant les classes. Il poursuit sa lecture jusqu'à la dernière lettre, celle dans laquelle elle lui dit qu'elle n'écrira plus puisqu'il ne répond pas. Étienne replie lentement la feuille, un papier souple, une texture fine. Judith choisissait minutieusement le papier sur lequel elle livrait son cœur.

Il reste la carte de Noël, écrite il y a un an à peine, celle qui aurait encore pu changer le cours des choses, une invitation à la rejoindre, à unir leur vie. Étienne n'a pas répondu cette fois-là non plus. Judith a compris par ce silence que le déshonneur de sa naissance planerait toujours sur sa vie et que son passé lui interdisait tout avenir possible avec lui. Elle est allée se réfugier là où personne ne saura jamais qu'elle est l'enfant du scandale.

Étienne remet la carte de Noël sur le dessus de la pile qu'il attache avec le même ruban rouge effiloché. Une autre page de sa vie qui semble lui avoir échappé. Il dépose le paquet dans le tiroir de sa table de chevet, ferme la lumière, remonte ses couvertures jusqu'au cou, se recroqueville sur le côté, le visage tourné vers la petite table.

des lettres d'amour
entourées d'un ruban rouge
et de quelques regrets

VIII

Étienne se réveille, dans la même position où il s'est endormi. Il se tourne sur le dos, s'étire dans le lit, vide. L'automne sent bon par la fenêtre béante. Ce matin, il ira régler les choses urgentes à la scierie. Il repense à la fin de sa conversation avec Charles, hier.

— Tiens-tu à cette usine, Étienne ?

— Oui, oui.

— Au plus profond de toi ? Pour le reste de ta vie ?

— Ce que je voudrais vraiment, Charles, la vie a pas voulu me le donner.

— Dans ce cas, il faudra que tu le lui prennes, toi-même.

Étienne ira voir Lorraine. Ce matin, tout espoir est permis, il commencera par s'excuser de son attitude le soir où il a voulu en finir. Puis il verra s'ils peuvent reconstruire quelque chose ensemble.

Béatrice attend l'arrivée de son patron. Elle espère des jours meilleurs. Étienne arrive au bureau, la secrétaire lui apporte un café, se retire et s'apprête à fermer la porte.

— Laisse la porte ouverte, Béatrice. Je respire mieux ainsi.

Il signe les chèques pour la paie des employés. Il prend connaissance des messages sur son bureau, fait quelques appels. À midi, il descend en ville dîner avec Lorraine.

Étienne a besoin de savoir s'il peut légitimement espérer un avenir avec elle, avec sa fille.

— Vas-tu me faire une place dans sa vie ?

— En veux-tu une ?

— Je veux une place dans sa vie, dans ta vie, Lorraine. Et je veux que vous preniez toute la place dans ma vie.

— T'en demandes beaucoup.

— C'est juste normal, il me semble.

— Étienne, ni moi ni un enfant… on pourra jamais combler tous les vides de ton existence.

Il lui raconte ce qu'il a découvert hier au sujet de Bruno. Elle le savait déjà, elle l'a véritablement compris quand Bruno lui a téléphoné, ce soir-là.

— Pourquoi t'être dérangée dans ce cas ? Je serais mort et tout serait réglé.

— Je savais pas exactement ce qui se passait, mais je savais qu'il y avait un grand danger.

— Et maintenant ?

— Ta vie t'appartient, Étienne, fais-en ce que tu veux.

Étienne retourne à la scierie sans avoir pu obtenir la moindre certitude. Lorraine veut du temps pour réfléchir. C'est de très mauvais augure. Surtout qu'elle lui a demandé s'il avait aussi fait un enfant à Judith. Serait-elle enceinte et qu'il serait encore là le seul à l'ignorer ? Il ne tardera pas à le savoir. Finis les malentendus, les quiproquos, les méprises. Il entre directement dans son bureau et écrit un courriel à Judith, deux phrases : l'une à savoir si elle est enceinte, et l'autre la sommant de dire la vérité.

Il recule son fauteuil, croise les pieds sur son bureau, se ferme les yeux. Tant d'événements se bousculent dans sa vie, se répercutent les uns sur les autres. Sitôt une lueur de solution s'amorce-t-elle qu'un autre problème surgit. Devra-t-il demander pardon à Lorraine ? À Judith ? À son père, à sa mère, à Bruno ? Et à qui encore ?

pardon d'avoir aimé, d'avoir souhaité le bonheur,
d'avoir joui, haï, ri, pleuré, pardon d'avoir été naïf,
faible, pardon d'être ce que je suis, pardon d'être né !

Un vertige lui monte à la tête. Béatrice s'inquiète de l'expression sur son visage. Elle s'approche. Il lui raconte que la nuit dernière, il a rêvé à son père.

— C'était au salon funéraire, mon père s'est levé de son cercueil, il a dit à ma mère de l'attendre encore un instant, et là, le rêve change de séquence. Mon père et moi, on s'est retrouvés tous les deux à courir sur des billots dans le courant de la rivière, c'était le printemps, il me criait de faire attention, de sauter sur tel billot et sur tel autre, de sorte que je me suis retrouvé sur l'autre rive. Et là, c'était l'été et, tous les deux, on a traversé un pont qui surplombait un marécage, et sur le pont, il m'a dit : « Étienne, fais seulement ce que tu peux, et ce sera bien. » Ce sont ses paroles exactes, presque les mêmes qu'il m'a écrites dans sa dernière lettre, sa seule, en fait. Puis il a disparu, le pont a disparu et je me suis retrouvé dans la cour de la scierie. Qu'est-ce que tu penses de ça, Béatrice ?

— Je sais pas exactement, mais il paraît que, quand nos morts nous parlent en rêve, il faut prendre ce qu'ils disent au pied de la lettre.

Étienne poursuit et informe Béatrice qu'il pourra peut-être éviter le procès. Elle est si contente qu'elle lui saute au cou et l'embrasse.

— C'est encore incertain, mais on verra. Béatrice, nous traversons une période d'incertitudes... En plus, j'ai perdu les deux femmes que j'aime.

Les propos d'Étienne chagrinent la secrétaire. Elle voudrait le questionner sur la scierie. De son côté, elle entend les inquiétudes des employés. L'arrivée de Sébastien Caron coupe la conversation. Étienne reçoit son employé. Béatrice pousse une chaise pour faire place au fauteuil roulant. Sébastien précise sans tarder qu'il va remarcher ; il est encore en réadaptation. Toutefois, l'idée de revenir à l'usine le terrorise et il a un projet qu'il veut proposer à Étienne.

— Ton père avait une grande érablière.

— Je pense effectivement qu'il y a un petit lot d'érables pas loin du village. J'ai pas eu le temps de tout regarder.

— Pas un petit lot, une grande érablière, plusieurs acres, passé le grand croche en amont. C'est mon père qui me l'a dit.

— Ah bon. Très bien. L'érable fournit un très bon bois.

Sébastien se met à trembler, Étienne s'en rend compte.

— Sébastien, pourquoi me parles-tu de l'érablière ?

— Je voulais… j'avais pensé que… Je veux l'exploiter.

— L'exploiter ?

— Oui, tailler les érables, faire couler la sève, faire du sirop, de la tire, du beurre, du sucre, tout. Ouvrir une vraie érablière. Je peux pas revenir scier, je vais virer fou. Ça fait trois fois que j'essaye de rentrer dans le moulin, je suis pas capable. Je suis juste pus capable.

— Tu veux que je te vende mon érablière ?

— Non ! J'ai pas d'argent de même. Mais…

— Mais ?

Sébastien risque le tout pour le tout, il a suffisamment attendu.

— Voudrais-tu me prêter la terre ?

— Prêter une terre ! Sébastien !

— Je te donnerai une ristourne sur le produit. Je suis sûr que ça peut marcher. Le monde aime ça, le sucre d'érable.

— Ça coûte cher, démarrer une érablière.

— Je vais emprunter à la banque.

— La banque...

— Je vais trouver quelqu'un pour m'endosser. Je suis certain que je peux la rentabiliser.

— Sais-tu seulement comment tailler un érable ?

— Non, mais je vais apprendre, mon cousin est prêt à me montrer, il a travaillé pour Albert à Saint-Basile pendant des années. Il est prêt à venir travailler avec moi. Tu le connais pas, mon cousin, mais c'est un bon gars. Pis il a des bonnes idées pour attirer le monde, on pourrait organiser des activités familiales.

Sébastien se rend compte de son emportement. Il a oublié qu'il s'adresse à son patron, qu'il est en train de demander à un homme d'affaires de lui prêter une terre. Il se rend compte de sa témérité et tente de se reprendre.

— Je crois ben que ça fait pas de bon sens de te demander ça, excuse-moi, je t'empêche de travailler.

— Pas du tout.

Étienne est subjugué par l'entrain contagieux de Sébastien. De voir quelqu'un parler d'un projet avec passion lui donne comme un regain de vie. Il est d'accord sur le principe. Ils se rencontreront plus tard pour discuter d'une entente. Sébastien doit partir, car Rodney Jessop arrive. Rodney s'apprête à fermer la porte, mais Étienne l'arrête.

— Non, laisse la porte ouverte. Je disais justement à Béatrice que j'aime les portes ouvertes. Assieds-toi... Un café ?

Il demande à Béatrice d'apporter deux cafés. La secrétaire se rend compte que le patron en a manqué un bon bout : Rodney ne boit plus de café, ça lui irrite la gorge. Rodney est pris d'une quinte de toux, fait signe à Étienne qu'il ne veut pas de café, tout en prenant un mouchoir juste à temps pour y cracher. Il sait que le mouchoir va être rouge de sang. Il court à la salle de toilettes. Étienne reste perplexe, il se lève, questionne Béatrice du regard.

— Ça empire de jour en jour.

— Qu'est-ce qu'il a ?

— Va jeter un œil, tu verras.

Étienne trouve Rodney en sueur. Un jet de sang coule dans le lavabo, il crie à Béatrice d'appeler le 9-1-1, Rodney l'agrippe par un bras.

— Jamais ! Pas d'ambulance.

— Dans ce cas, je t'amène moi-même à l'hôpital.

Étienne entraîne Rodney qui se résigne à le suivre.

— Enfin ! Quelqu'un qui réagit !

Cette phrase de Béatrice résonne dans la tête d'Étienne pendant qu'il conduit à pleine vitesse. Après tout, peut-être qu'il n'est pas complètement nul.

— Ralentis, sacrament, tu vas nous tuer.

Étienne modère un peu, observe Rodney du coin de l'œil et voit que son employé est à bout de force, le teint gris comme jamais.

— Fumes-tu encore ?

— Pus capable, tout goûte le sang, sacrament !

Rodney est repris d'une quinte de toux, il crache dans les mouchoirs qu'il apporte toujours avec lui. Étienne lui dit de ne pas parler. À l'urgence, Lorraine prend immédiatement le patient en charge. Le cellulaire d'Étienne sonne. C'est Béatrice, le ministère des Affaires extérieures vient de rappeler pour connaître ses intentions concernant son inscription pour la mission en Europe. Étienne doit répondre à Réal Butler. Rodney réagit au nom de Butler. Entre ses crachats et sa toux, il insiste pour qu'Étienne rappelle ce gars-là.

— Je vais le faire.

— Astheur... tout suite.

— Oui, Rodney, je lui téléphone immédiatement.

Étienne sort de l'hôpital, appelle Réal Butler, confirme sa présence. Il doit répondre aujourd'hui.

— Absolument!... Les formulaires seront faxés aujourd'hui même.

Dès que Rodney aura terminé, il se rendra à l'usine. Mais Rodney Jessop ne sortira pas de l'hôpital. Le médecin doit lui faire passer une série de tests. Rodney demande à Étienne d'avertir sa femme.

Étienne remonte à Sainte-Croix, fait un court arrêt à l'usine pour signer les papiers que Béatrice a préparés, puis il se rend chez Rodney. Adéline le reçoit avec une certaine amertume dans la voix. Étienne tente de ménager la pauvre femme, mais elle est dans tous ses états.

— C'te maudite scierie-là va finir par le tuer.

Étienne se sent responsable de l'état de Rodney, il se sent presque coupable que l'homme ait fumé toute sa vie. Il offre de conduire Adéline à l'hôpital. Elle prépare quelques effets personnels à son « vieux bucké de mari » et monte dans la voiture d'Étienne. En route, elle lui fait part de ses véritables inquiétudes. Son homme est à bout de force, il ne peut plus travailler, mais il ne veut pas arrêter. Étienne promet à Adéline que Rodney prend sa retraite dès aujourd'hui et qu'il lui versera un an de salaire.

— Comment c'est que je peux te croire?

— C'est moi le patron, c'est mon argent, c'est moi qui décide. Et Rodney Jessop est mon meilleur homme, surtout le grand ami de mon père, et je ne vais pas le laisser mourir sans rien faire.

Étienne sait qu'il a agi sur l'impulsion du moment. Un véritable homme d'affaires ne dilapide pas ses biens à coups d'émotions.

De retour à la scierie, il vérifie ses courriels avant de rentrer chez lui, il n'a pas encore récupéré son ordinateur, Grisholm en a besoin. Un courriel de Judith. Elle n'a pas tardé.

Cher Étienne,

Es-tu fou ? Moi ? Enceinte ? Où as-tu pris une idée pareille ? Quand j'aurai un enfant, Étienne, je pourrai le montrer à tout le monde et crier à tue-tête le nom de son père. À la terre entière, Étienne, à la terre entière, montrer mon enfant, et crier le nom de son père pour que tous l'entendent et s'en réjouissent.

Les cours sont commencés, les gens sont formidables. Je me plais de plus en plus ici.

Amitiés,

Judith

Étienne rentre chez lui. Il vivra sa solitude jusqu'au matin, jusqu'à ce qu'il retourne à la scierie.

Bruno se berce, Étienne lui a apporté la berceuse afin qu'il ait au moins quelque chose de familier. Il se berce sans arrêt, il répète sans cesse le nom de Chacal, comme un mantra. L'infirmière entre dans sa chambre et lui donne ses médicaments.

— Maman, berce-moi. Maman… Maman.

— Vous avez une belle berceuse.

— Berce, Maman. Ôte le bébé dans ton ventre. Berce, Maman.

Charles Rousseau arrive chez Étienne. Il s'est promis de lui porter une attention particulière, il sait que ces jours-ci sont cruciaux. Étienne lui raconte la promesse faite à Adéline Jessop, celle à Sébastien, la difficulté de vendre son bois. Charles le met en garde contre sa tendance à prendre des décisions sur le coup de l'émotion. C'est très mauvais pour les affaires.

— On dirait que depuis la mort de mon père, tout ce que j'ai réussi à faire, c'est perdre. Perdre de l'argent, du terrain, mon frère, ma blonde. J'ai même failli perdre ma propre vie…

— Écoute, tu dois d'abord faire deux choses : blanchir ton nom devant la loi, et vendre la scierie.

— Impossible. J'ai des promesses à tenir, même si elles ont été faites dans un élan d'empathie.

— Ça, je te le concède. Toutefois, si tu vends, tu peux investir ton argent, avec l'aide de Victor, entendons-nous, et tu remplis tes promesses.

Étienne reste songeur un instant.

— Et Bruno ?

— C'est plus délicat. On peut rien décider tant qu'on aura pas le diagnostic médical. Mais d'abord, il faut te faire innocenter.

Charles a apporté sa copie de *La berceuse du temps*. Des détails lui échappent.

Le manuscrit leur révèle beaucoup de secrets : la psychanalyse de Bruno, les cassettes qu'il a détruites ne gardant que celle de son cri primal, en souvenir, pour l'entendre parfois et se rappeler sa douleur. Bruno ne veut pas oublier. Ils apprennent des détails de la naissance d'Étienne, comment Bruno l'a vécue, pourquoi il en veut tant à son frère. Puis, vers deux heures du matin, c'est le choc. Étienne lit le passage.

… je regardais l'huile sur mes mains… la voiture descendait la côte… j'ai versé une larme… dans ma main… l'eau a fait un petit rond dans l'huile… il n'y aurait bientôt plus de freins… maman… pourquoi m'as-tu trahi… pourquoi m'as-tu laissé avec lui… je le hais… maman… les larmes lavent l'huile dans mes mains… je laverai mon âme… je suis le chacal… le gardien de la mémoire…

Les deux hommes se regardent en silence. L'aveu est là, mais Étienne insiste pour continuer jusqu'à la fin. Il ne reste que quelques pages, il tient à avoir toute la suite qui mène jusqu'au remous.

— Inutile, la preuve est là. Parce que ta tante Alice, dans toute sa naïveté, a dit à Grisholm avoir lavé les mains de Bruno, qu'il avait les mains pleines d'huile à moteur. Je m'en souviens très bien, c'est dans les notes. Tout converge, tout concorde.

— Mais l'historique dans mon ordinateur qui mène au site expliquant le fonctionnement des freins ?

— Mon fils a trouvé une page du même site dans l'ordinateur de Bruno, avec une date antérieure à celle qui se trouve dans le tien. Il avait effacé toutes les traces, sauf qu'il a oublié d'enlever la copie dans le disque de réserve.

La stratégie diabolique que Bruno a peaufinée durant toute sa vie dépasse l'entendement. Étienne croyait ne jamais pouvoir s'en sortir. Enfin libéré de tout doute sur la mort de ses parents, il éclate en sanglots.

Charles Rousseau tente de le consoler du mieux qu'il peut. Demain, il se rendra voir l'inspecteur pour lui montrer les preuves. Selon lui, la situation va se régler rapidement.

Étienne se sent impuissant. Inutile et impuissant. Il raccompagne Charles. Dehors, c'est la première neige d'automne.

Le soleil plombe sur la mince couche de neige accumulée durant la nuit. Étienne sort sur le patio, café en main. Les chaises d'été sont encore là. Normalement, elles seraient remisées, mais cette année, elles sont encore là. Le soleil brille sur l'eau de la rivière, la neige fondante ruisselle dans les gouttières. Étienne écoute l'eau dégoutter sur la pierre plate, sous la gouttière, juste à côté du patio. Il la devine sous le lilas sans feuilles, il connaît le coin par cœur. C'est là qu'enfant, il cachait son sac de billes, sous cette roche, pour que Bruno ne les éparpille plus. Bruno avait dix ans, lui en avait six, il venait de gagner ses premières billes dans la cour de récréation. Il était rentré à la maison, tout heureux de ses nouvelles billes. Dans un geste de mépris, Bruno les avait lancées dans la pente. Étienne avait cherché ses billes, les avait retrouvées, non sans peine. À travers ses larmes d'enfant de six ans, il les avait ramassées, une à une. Pour le consoler, sa mère lui avait fait une pochette pour les ranger, qu'il avait cachée sous la grande roche plate, sous la gouttière, à l'insu de Bruno. C'est bien la seule chose que Bruno n'aura pas découverte au sujet de son frère. Étienne ne se rappelle pas les avoir jamais reprises. Seraient-elles encore là, se pourrait-il qu'il y ait eu une seule chose, dans sa vie, que Bruno n'ait pas entachée ? Il contourne le patio, se penche sous le lilas. La neige mouillée lui coule sur le dos. Il aperçoit la roche, la soulève, une araignée se sauve, des lambeaux de tissu violet, pleins de boue, et une, deux, trois, Étienne compte ses billes enfoncées dans la terre, il les ramasse, il en compte dix. Pourtant, il en avait gagné une grosse ce matin-là, dans la cour de récréation, une grosse bille qu'il n'avait jamais remise à l'enjeu. Étienne fouille la terre, la voilà, la grosse patate, il avait gagné cette grosse bille communément appelée *patate*. Lui, un enfant de première année, il avait gagné la patate de Jocelyn Hébert, un grand de troisième. Il met les dix billes dans la poche de sa robe de chambre. À six ans, c'était tout son avoir, plus la grosse patate qu'il garde dans sa main. Il sort des broussailles. Il est trempé, il a les pieds gelés, il frissonne. Il reprend son café sur le patio, avale sa dernière gorgée et entre se laver.

Étienne arrive enfin au bureau et trouve Béatrice en pleine effervescence. Maître Rousseau lui a demandé de rassembler tous les papiers essentiels au comptable qui viendra vérifier les livres cette semaine. À midi, elle doit téléphoner à Victor, car Charles Rousseau le convoque de toute urgence. Béatrice remarque l'air surpris de son patron. Elle n'est pas certaine s'il est au courant de la démarche.

— Est-ce que je continue ou est-ce que j'arrête ?

Étienne reste immobile, ne sait trop quoi répondre, mais il ne veut pas embarrasser sa secrétaire. Elle attend, une pile de papiers dans les mains. Il se décide enfin.

— Béatrice, fais tout ce que Charles Rousseau te dira.

Il prend une grande respiration de soulagement, comme si ce qu'il venait de dire le libérait d'un grand poids.

— Et fais-le exactement comme il te le dira.

S'il n'est pas en mesure de gérer l'entreprise de son père, aussi bien faire confiance à ceux qui peuvent encore la sauver.

À dix-sept heures, Étienne apprend de Charles que le procureur a retiré sa plainte.

Enfin une bonne nouvelle. Y aurait-il de l'espoir pour le reste ? Des accusations seront portées contre Bruno, et il devra enfin répondre de ses actes. Bien entendu, s'il est jugé apte à subir un procès. D'une façon ou d'une autre, Charles doute que Bruno ne soit jamais libre complètement, et même, qu'il puisse, un jour, retourner à la maison.

IX

Étienne range les confitures de tante Alice. Il en aura pour tout l'hiver, le printemps aussi. Alice a vidé ses étagères avant de partir pour la Floride où elle passera l'hiver avec son amie Régina. Elle est partie le cœur un peu gros, avec le sentiment d'abonner son Bruno, mais Étienne lui a promis d'en prendre soin.

La maison est vide comme elle ne l'a jamais été. Étienne ne sait plus comment convaincre Lorraine de lui pardonner et de venir vivre avec lui. Le soir même où elle lui a montré la photo tirée de l'échographie, elle lui a aussi montré le livre qu'elle venait d'acheter à la librairie, *La berceuse du temps*, publié en un temps record. Charles Rousseau a bien essayé d'empêcher la publication, mais l'éditeur n'allait pas renoncer aux gains prometteurs de cet ouvrage et le livre était déjà sous presse. L'éditeur mentait, Charles le savait, mais Étienne lui avait dit de laisser tomber. Ça ne changeait plus rien.

Lorraine en a lu quelques passages, elle reconnaissait la péripétie du vin sur sa robe, elle apprenait les détails de la relation d'Étienne avec Judith, et c'est bien à cause de cela que le pardon lui restait bloqué dans la gorge, qu'elle ne laissait plus Étienne l'embrasser. À peine si elle le laissait toucher son ventre pour qu'il puisse sentir sa fille bouger.

— Elle serait heureuse au Bois des songes.

— Oublie ça. Jamais. Jamais j'irai vivre à Sainte-Croix.
— Et si je construisais en ville?
Lorraine lui secoue le livre sous le nez.
— Je vivrai pas dans l'ombre de Judith Brisebois!
— Elle est partie en Afrique!
— Ça change rien. Tu l'as dans la peau, cette fille-là.

C'est la dernière fois qu'Étienne et Lorraine se sont parlé, se sont touchés, se sont vus. Il n'a pas trouvé les arguments pour la convaincre que c'est de la fiction, que Bruno a déformé les faits.

— De la fiction suffisamment vraie pour te faire innocenter par un juge.

Lorraine reste sur sa position. La vie n'est pas parfaite, mais elle ne supportera plus jamais l'humiliation. De qui que ce soit. Certains détails l'ont atteinte dans sa fierté, dans son intégrité. Cette œuvre est venue sonner le glas entre elle et le père de sa fille.

Étienne vide la chambre de ses parents, il rassemble tous les vêtements dans des boîtes, il les donnera à une œuvre de charité. Il ferme la dernière boîte, l'empile par-dessus les autres, près de la porte de la maison. Il revient dans la chambre avec un grand sac-poubelle. Il jette tout ce qui reste : rasoirs, crème à barbe, eau de Cologne, peignes, brosses à cheveux, brosses à dents, tous les effets personnels de son père, de sa mère, ceux qu'ils n'avaient pas apportés en voyage. Il jette tout, les sous-vêtements, les vieux bas. Tout y passe. Ce qui n'est pas dans les boîtes, près de la porte, va à la poubelle. Il ne garde que la robe de chambre en satin de son père et le coffre à bijoux de sa mère. Les alliances de mariage sont restées sur l'écrin. C'est là qu'il les a déposées après les funérailles. Le croque-mort les lui avait remises. Il les a glissées dans sa poche, puis déposées sur le coffre. Il prend l'alliance de son père, la passe à son annulaire. L'anneau glisse dans le doigt effilé. Il penche un peu la main, l'anneau tombe sur le bureau. Georges avait de grosses mains de bûcheron, Étienne n'a pas sa carrure. Il range les deux anneaux côte à côte dans l'écrin. Il saura peut-être un jour quoi en faire. Il enlève les draps du lit, les descend au lavage, passe l'aspirateur sur le matelas, secoue la douillette, la remet sur le matelas, comme si le lit était fait, entre deux nuits. Il sait pourtant que ce lit n'attend plus personne, que la nuit est désormais éternelle pour Irène et Georges.

Dans le coin de la chambre restent encore les deux valises qu'il a déposées là, en juillet, les valises échancrées, ficelées par les agents. Ils ont ramassé les vêtements et tout le contenu répandu dans le fossé qui longe la route, là où la Cadillac s'est écrasée au terme de son dérapage. Étienne n'a pas encore eu le courage d'ouvrir ces valises, mais aujourd'hui, il doit le faire. Il pourrait les jeter avec le reste, sans les ouvrir. Il ira jusqu'au bout de cette tâche, jusqu'au bout de sa torture. Les agressions de Bruno à son égard ne sont rien à côté de ce supplice que la vie lui impose. Il couche les deux valises par terre, coupe les ficelles, les couvercles se soulèvent un peu sous la pression des effets empilés pêle-mêle. Des vêtements froissés et empoussiérés. Il les dégage un à un, les dépose dans un sac vert, la blouse de soie d'Irène, toute sale. Une fourmi gigote dans les replis du vêtement. Il secoue la blouse, la fourmi tombe sur le plancher. Il l'écrase avec le pouce. Combien de vermines encore trouvera-t-il dans les décombres de ses parents ? Il s'arrête un instant. Si les semaines qu'il vient de passer à feuilleter la mort l'ont fatigué, ce dernier chapitre dans les valises de ses parents l'épuise complètement. Mais il doit en finir, terminer ces multiples gestes de deuil qui s'éternisent. Il ramasse le reste des vêtements qu'il jette dans le grand sac vert. Au fond de la valise de son père, le portefeuille du businessman. Il l'ouvre : des billets de vingt, de cent dollars, des livres égyptiennes, des cartes de crédit qui ont toutes été annulées. Il met le portefeuille de côté. Il reste, au fond de la valise, des dépliants, deux billets d'avion Québec-Montréal-Paris-Le Caire, deux allers-retours. Il examine les dépliants : le Nil, les pyramides de Gizeh. Il gardera ces billets d'avion et ces dépliants, en hommage au sacrifice de deux vies inachevées.

Étienne porte toutes les boîtes chez RADO, puis se rend au rendez-vous fixé par le docteur Sansfaçon. Charles l'accompagne. Le psychiatre va enfin donner son verdict et par le fait même, prononcer la sentence de Bruno et d'Étienne.

— Vous comprenez que votre frère reviendra jamais à la normale.

— Vous êtes certain, docteur ?

— Je crois qu'on a affaire à un cas de psychopathie. Ou quelque chose qui s'en approche. Il aurait pu s'en prendre à votre père, à votre mère ou que sais-je, mais c'est sur vous qu'il a jeté son dévolu. Dans sa tête, il fallait pas que vous naissiez.

Ni la science ni la médecine ne peuvent rien faire pour Bruno. Un choc violent, comparable à un court-circuit, semble avoir détruit la majeure partie de son cerveau. Les scanners révèlent une activité cérébrale très perturbée. Bruno devra être interné dans un centre de soins spécialisés. Étienne pourra le visiter à sa convenance, si ses visites ne perturbent pas trop son frère. Le transfert aura lieu dans les prochaines semaines, dès qu'un lit sera disponible. Étienne doit signer.

— Docteur, est-ce possible, où qu'il aille, que Bruno ait toujours sa berceuse dans sa chambre ? C'est tout ce qui lui reste de notre mère.

— Absolument. Je vais l'indiquer au dossier.

Étienne dissimule son trouble et signe l'internement de son frère. Maître Charles Rousseau contresigne. Le docteur Sansfaçon remet à Étienne la liste des effets personnels qu'il peut apporter à Bruno : ceux permis et ceux prohibés pour les patients dans son état.

Étienne prépare les affaires de Bruno. La maison se vide progressivement : l'atelier d'Irène, la chambre d'Irène et Georges, maintenant celle de Bruno. Il n'y a rien à part toutes ces écritures. Rien, sauf des pacotilles éparpillées, brindilles de pin, d'herbes séchées, des morceaux de papier, pliés et pressés dans les recoins des tiroirs, du garde-robe, sous le matelas, l'oreiller. Rien, sauf quelques crayons et un vieux magnétophone à cassettes. Le docteur Sansfaçon a refusé à Étienne de lui faire entendre le cri primal de Bruno. Les psychiatres s'en serviront peut-être. On ignore tout de la thérapie qui a conduit à ce cri primal : quels professionnels ont suivi Bruno, dans quelle ville ? Impossible de le savoir. Le patient n'a rien dit. Même l'audition de la cassette ne semble avoir éveillé aucune émotion chez lui. C'est la seule chose que tous connaîtront sur les cinq années d'absence de Bruno : ce cri primal. Personne ne saura rien de ce qui s'est passé avant, après, avec qui. La cassette est la seule preuve qui restait dans la chambre, il n'y a rien d'autre. Rien, si ce n'est un canif, semblable à ceux que portent les scouts. Bruno avait fait partie des louveteaux, mais on avait dû l'en retirer après quelques mois. Il ne s'adaptait pas, ne pouvait suivre aucune directive. Irène protestait que les animateurs ne savaient pas comment s'y prendre avec l'enfant. Elle avait essayé de les convaincre de garder Bruno encore un peu, de l'approcher avec plus de doigté — « ils sont jeunes, ces garçons » —, mais rien à faire, l'animateur en chef ne pouvait plus permettre qu'un seul enfant fasse des misères à tous les autres. En réaction, Bruno avait brûlé son uniforme sur la grève, il avait gardé son canif en souvenir, la seule chose qui indique aujourd'hui que Bruno Bellefleur avait eu quelque activité de garçon normal. La lame du canif est souillée d'un reste de graisse noire. D'un geste las, Étienne jette le canif avec le reste des babioles. La maison est vide, tristement vide.

Il erre d'une pièce à l'autre. Que reste-t-il dans cette grande maison ? Une longue table de salle à manger, inutile désormais, des armoires pleines de vaisselle qui ne servira probablement plus, même pas le jour de Noël qui approche. Charles Rousseau voudrait accueillir Étienne chez lui pour le repas de Noël, mais il a refusé. Victor a insisté pour qu'il vienne à Montréal, au moins les 24 et 25 décembre. Il verra, si le cœur lui en dit.

— J'insiste pour que tu viennes à la maison. On établira la suite de notre stratégie financière. Ça m'épargnera un voyage.

— Si ça peut vous sauver du temps, mon oncle, j'irai.

Étienne quitte Sainte-Croix en voiture. À Montréal, tous sont remplis d'égards envers lui, il admire le bébé de Lisette, le prend dans ses bras et le berce. Un beau garçon. Étienne et Victor parlent affaires. Victor berce son petit-fils tout en discutant. Une scène surprenante aux yeux d'Étienne qui n'a jamais vu son propre père avec un enfant dans les bras.

L'avant-veille du jour de l'An, Étienne repart. Au lieu de rentrer chez lui, il descend à New York. Il assiste au changement de l'année au Time Square : se perdre dans la foule joyeuse, se mêler aux rires, recevoir des baisers de purs inconnus, pour oublier ceux qu'on voudrait tant embrasser. À Ground Zero, il se recueille devant ce vide : les deux dernières années lui défilent dans l'esprit, la mort de ses parents n'aura été qu'un sursis.

serais-je, moi aussi, une épave en sursis? un fantôme que la mort même a rejeté?

Étienne continue son pèlerinage dans les rues de New York, s'imaginant en proie aux débris des tours du World Trade Center. C'est à partir de ce jour-là que son propre destin s'est précipité. Il s'imagine recouvert de cendres, jusque dans les replis de sa peau. Il entre à l'hôtel et prend un bain.

Renaître de ses cendres. Reste-t-il, quelque part, une étincelle pour raviver la moindre flamme?

Au matin, Étienne erre dans les rues de New York. Il arrête dans un café, s'installe, écrit dans son cahier noir, un cahier tout neuf acheté dans une librairie de la rue voisine.

Les deuils collectifs sont retenus par l'histoire. Mais qui se souviendra de mes parents? du curé Brisebois? de sa sœur Clothilde? de leur fille Judith?

Étienne consigne ses pensées, en vrac, comme elles lui arrivent. Il n'adopte aucune structure particulière. Il a eu tendance, à un certain moment, à écrire en fragments — il repense à certains de ces fragments —, il en connaît l'influence et les bannit aujourd'hui de son écriture. Il a aussi écrit en haïkus, sans en respecter véritablement la structure originale, le nombre de pieds, de vers. Étienne ne connaît pas encore son style. Il doute même aujourd'hui de la légitimité de ses ambitions. A-t-il perdu le sens de la réalité ? N'a-t-il pas agi trop rapidement, en proie au vertige ? Une fois son insécurité passée, peut-être aurait-il pu suivre les traces de son père ? Il a suffisamment de connaissances.

Il reprend la route vers la frontière. Il passe de nouveau par Montréal, se loue une chambre au centre-ville. Il ne donnera signe de vie à personne. Il marche dans les rues de la métropole, entre dans un bar. Assis seul à une table en retrait, il écoute du jazz, d'une oreille distraite. Il pense à ce qu'il doit faire, sans vraiment entrevoir de solution. Comme si Charles Rousseau et Victor Bellefleur avaient su ce qui était bon pour lui.

Obéir. Partir. Revenir. Pour les cloches de l'église. Et les anges. Pour l'enfant qui naîtra en avril.

Il rentre à l'hôtel. Le lendemain, il monte faire un tour dans les Laurentides. Il arrête quelques jours au mont Tremblant. Étienne ne fait pas de ski, il observe les sportifs. En attendant de se décider. Minerve est tout près. Clothilde a-t-elle eu des nouvelles de Judith ? Sûrement. Étienne passe des jours à regarder les skieurs dessiner des chemins sinueux dans la neige de janvier. Puis le quatrième soir, à la brunante, la piste se vide progressivement, Étienne reprend la route.

Sainte-Croix s'est déshabillé de ses airs de fête. Une légère neige commence à tomber quand Étienne franchit les limites du village. Il rentre chez lui, après trois semaines d'errance.

rentrer dans le néant
quel espoir voudra de moi
quel espoir voudra que je m'accroche à lui
renaître de ses propres cendres

La maison, vide, se réchauffe progressivement, mais les vingt degrés ambiants ne parviennent pas à enrayer cette froidure qui lui pénètre les os. Les jours suivants, il tentera de se réapproprier la demeure familiale à la mesure de ses besoins. Chaque soir, à l'heure du coucher, il passe devant la chambre de Bruno. Le lit est fait, le secrétaire est fermé, mais Étienne sait qu'il est vide. Il n'y a plus rien, pas un seul bout de papier, pas un crayon. Il a tout jeté. La chambre de ses parents est tout aussi vide, comme l'atelier d'Irène. Même le tabouret et les pinceaux sont partis avec Sophie. La maison est vide, les lits sont vides. Son propre lit aussi a perdu ses odeurs de femme depuis longtemps. Un lit vide, dans une maison vide.

La rivière glisse en silence sous la glace de janvier. Février se languit jusqu'aux premiers réchauffements de mars et ses promesses de printemps. Les jours s'allongent. Aujourd'hui, la rivière dégorge sous un ciel gris.

Étienne conduit vers le nord. La forêt de Saint-Quentin ressemble à celle de Sainte-Croix. Au fond, toutes les forêts se ressemblent. Georges ne serait pas d'accord avec la réflexion de son fils, la qualité du bois n'est pas la même. Curieusement, Étienne n'a senti aucun remords quand il a apposé sa signature au bas du document qui cédait sa scierie à monsieur Blackster. Cette scierie redeviendra florissante. Comme avant, comme du temps de Georges. Étienne a signé, Blackster lui a donné une bonne poignée de main. Étienne lui a remis les clés. L'acquéreur allait-il approuver le nouveau syndicat ? Étienne avait accepté d'enlever la clause qui l'exigeait : pourvu que les hommes travaillent. Il a rempli ses obligations envers Rodney Jessop, il a gardé son érablière pour la louer à Sébastien Caron. Il apporte à Bruno le sirop des premières coulées de sève de ce premier printemps.

Étienne conduit vers le nord, sa vie semble derrière lui, la grande maison du Bois des songes ne sera pas construite. Il a payé l'architecte, il a rangé les plans, mais il a gardé son terrain, souvenir vivant de son père et de sa mère, c'est là qu'il a été conçu, le reste n'a plus aucune importance. Les terres de Georges Bellefleur font désormais partie de l'empire Blackster. Étienne conduit vers le nord.

C'est sa première visite à Bruno depuis qu'il est placé en permanence au Centre hospitalier Restigouche. Il entre dans la chambre. Bruno est là, il se berce, recroquevillé, le teint hâve, les yeux mi-ouverts sur la grisaille du printemps. Étienne le regarde. Bruno sait-il qu'il est là ? Il l'interpelle, Bruno ne répond pas. Il attend. Son frère n'a pas dit un seul mot depuis les mois qu'il est avec eux, lui dit l'infirmière. Elle n'a jamais entendu le son de sa voix. Elle donne un médicament à Bruno qui l'avale, docile. Étienne sort de la chambre, remet un sac à l'infirmière.

— Des produits d'érable.

— C'est gentil de votre part.

— Ça vient de la terre de nos parents. S'il en veut pas, je vous les offre.

Étienne reprend la route, il parcourt les quelque deux cents kilomètres qui le ramènent chez lui.

le vide   le néant   après le chaos

Tout ce qui le rattache à cette maison n'a plus de sens réel. Chaque pièce a son spectre.

La rivière a préparé le printemps sous son linceul d'hiver, la rivière se gonfle à présent, les érables regorgent de leur sève dorée, comme si la vie voulait renaître malgré tout.

Victor a raison. Il doit quitter cette maison.

La rivière a perdu sa fougue du printemps. Alice est revenue de Miami, elle est bronzée. Pas son bronzage rayé de jardinière, non, un hâle de vacancière, égal sur les bras comme sur les jambes et dans la figure. Mais à présent, Alice aussi doit faire son deuil de la maison des lilas. Elle s'habitue à vivre seule dans sa demeure que Sébastien Caron a surveillée durant son absence. Alice le paie pour ses services, elle peut continuer à compter sur lui pour de menus travaux. Sébastien Caron rebâtit sa vie, il est désormais acériculteur et homme à tout faire. Il ne retournera pas à la scierie, il est heureux comme ça, et un jour, il compte bien acheter toute la terre d'érables, si Étienne n'a pas besoin d'argent trop tôt. Étienne l'a rassuré, il n'a pas besoin de vendre, il peut se contenter de louer, il lui a fait un prix d'ami : un faible pourcentage de ses profits annuels. D'ailleurs, Étienne considère qu'il a amplement vendu, il ne voudrait pas finir par regretter son geste.

La rivière a pris ses aises d'été, elle ressemble de plus en plus à Étienne. L'homme esseulé monte le sentier voisin de la petite falaise qui délimite le Bois des songes. Il longe la clairière, là où il devait bâtir maison. Il marche vers son pavillon de bois rond, il l'a fait construire en vitesse, au cours du printemps, c'est son refuge désormais. Il entre dans le pavillon, n'allume pas, prend une bière, promène son regard sur son lieu, un espace ouvert comprenant cuisine, salle à manger, bureau, salon. Les seules cloisons intérieures délimitent la chambre à coucher et la salle de bains. C'est suffisant pour un homme seul, un homme qui écrit dans la pénombre de la fin du jour, le solstice d'été, le jour le plus long de l'année.

le vide après le chaos
le néant
pourtant ça sent bon l'été
et malgré la chaleur de l'air
je continue de vivre sous la glace de l'hiver
cette couche de givre qui m'engourdit
hiver éternel
nuit sans fin
l'odeur des lilas me manque

Étienne sent toute la solitude de sa vie dans son corps. Il écrit, il a toujours voulu écrire. Il le peut désormais, il le fait, mais comme le prix à payer lui pèse lourd.

l'injuste retour des choses
et pourtant, continuer d'espérer
espérer pour ne pas mourir

Le stylo dans la main droite, la main gauche posée sur la pochette pourpre — il a demandé à tante Alice, avant son départ pour Miami, de lui coudre une pochette pourpre —, Étienne tâte les billes à travers le tissu. Il prend la pochette, pousse toutes les billes vers le fond. Sur le haut, il écrit chacune des lettres de son nom, ÉTIENNE, en majuscules bien tracées. Il identifie la seule parcelle qui lui reste de son enfance. Il souffle un peu sur les lettres pour sécher l'encre, que son nom ne s'effiloche pas. Il remet la pochette sur la table.

fin d'un hiver
nuit si longue
trop longue depuis l'enfance
depuis ce jour sur la mousse du Bois des songes
sanctuaire de bonheur marqué désormais
par la solitude

Lorraine lit dans son salon. Elle lit Chacal et pense à Étienne. Comment faire autrement, tout est écrit dans le livre. Bruno a manigancé. Elle voit bien qu'il a ajouté certaines fantaisies. Surtout qu'il revendique l'incendie de la scierie, si elle a bien saisi son insinuation. L'enquête a pourtant révélé une cause naturelle. Aussi bien laisser les choses comme elles sont, puisque tout le monde s'en accommode. Elle n'ira pas soulever la poussière. Et puis, maître Rousseau a dû s'en apercevoir.

Lorraine revoit tous ces mois depuis le retour de Bruno. Avant, il n'était à ses yeux qu'un personnage imaginaire parti vivre sa vie. Chacal n'était qu'un poète parmi tant d'autres, qu'elle connaissait à peine, qui n'avait aucun lien avec Étienne, ni avec elle. Mais Bruno est revenu à Sainte-Croix. Ce village qu'elle trouvait si charmant. Elle pense à ce qui aurait pu être. Lorraine lit, Sarah dort dans son berceau, elle se réveillera bientôt, affamée, réclamant le sein.

Dans la solitude de Sainte-Croix, en cette fin de dimanche soir, Étienne continue d'écrire. Il essaie de nouvelles formes.

espérer – vivre – pour ne pas mourir avant l'heure. vivre. mais qu'est-ce qu'il me reste à vivre? la solitude est le linceul de la mort qui ne sait pas venir. mon dernier souffle s'éternise.

L'enfant tète au sein de sa mère. Le grondement sourd du réfrigérateur compte le temps dans la tranquillité de l'appartement.

— Je finirai bien par me guérir de lui, se murmure-t-elle à elle-même.

Étienne passe l'été entre la rivière et son pavillon. Toutes ses journées se ressemblent : café, marche, réflexion, atermoiement, apéro, repas, nuits d'insomnie. Ses sorties sont limitées ; il a réduit ses besoins à l'essentiel.

L'été tire à sa fin. Étienne relit son désœuvrement jusqu'aux dernières pages de son cahier. Tant d'amertume. En relisant, il se rend compte qu'il s'enlise dans un abîme. Il doit réagir.

Le lendemain matin, il se réveille avec le goût d'aller voir sa fille. Elle a déjà quatre mois. Il ne l'a vue qu'une seule fois, en cachette à la pouponnière. Il s'y est précipité dès qu'il a su qu'elle était née, en écoutant la chronique des naissances à la radio. Aujourd'hui, il ira la prendre dans ses bras, la bercer. Pour la première fois.

Lorraine ne cache pas sa surprise, mais elle demeure plutôt calme. Étienne prend Sarah dans ses bras, la berce. Ce petit corps fragile blotti contre sa poitrine a l'effet d'une trêve dans ses tourments d'adulte. Même s'il sait que Sarah ne réussira jamais à lui ramener Lorraine. Seul le temps pourra les réconcilier, chacun à sa propre existence.

Les premiers signes d'automne se présentent tôt. Étienne longe la grève dans le sens du courant. Après une heure ou plus — le temps ne compte pas —, il passe devant l'ancienne maison de ses parents. Au même moment, une femme passe la porte. Ils se saluent d'un petit geste timide. Étienne poursuit sa route, dépasse la scierie. Vis-à-vis du grand pin, il emprunte le sentier jusqu'à la cascade. Il enlève ses souliers, roule les jambes de son jeans et se rafraîchit les pieds dans le petit lac. Reposé, il entame le chemin du retour. Le soleil descend derrière la cime des arbres quand il regagne le Bois des songes. En remontant la pente vers son pavillon, Étienne a l'impression de tourner une autre page de son cahier noir. Fatigué, mais serein, il ouvre une bouteille de Bordeaux, un grand millésime, et se prépare un bon repas.

Si la lumière dans les jaunes d'automne avive la forêt du Madawaska, elle ne semble pas opérer sa magie sur l'abattement d'Étienne. Il a tenté de se mettre sérieusement à l'écriture, s'est acheté un nouvel ordinateur afin de se donner un semblant de professionnalisme, mais il n'arrive pas à se concentrer sur un sujet, à le cerner.

Le 24 décembre en après-midi, Étienne porte un ours en peluche à Sarah. Un gros toutou brun, emmitouflé dans un grand foulard rouge et affichant un large sourire. La petite dort, Lorraine met le cadeau sous l'arbre de Noël et lui remettra demain. Étienne la regarde dormir un instant, puis revient à Sainte-Croix. Il a proposé d'accueillir

Lorraine et Sarah pour le repas de Noël, mais elles sont attendues chez grand-maman Morin. Il n'a pas appelé tante Alice, préférant la laisser profiter pleinement de la visite de ses enfants et petits-enfants. Les occasions sont si rares pour elle. Il termine sa soirée seul devant la télé, un vieux classique : *Miracle on 34th Street.*

Étienne commence la nouvelle année en Europe, mais contrairement à ses attentes, le sentiment habituel de recommencement n'opère plus. Il se déplace en France, en Belgique et en Suisse. Insatisfait, incapable de rester au même endroit, il se rend en Espagne. Il assiste à une corrida ; la bête refuse de mourir sous les lances d'un toréador enorgueilli par une foule en délire. Étienne traverse au Portugal, s'y attarde plus d'une semaine. Il revient sur Paris, puis descend en Italie. Rien n'arrive à l'émouvoir vraiment. Il flâne dans les ruines du Colisée, autour du Vatican. Il visite quelques galeries d'art. Il cherche dans toutes ces œuvres une étincelle qui le rapprocherait de sa mère. En vain. Chaque jour, il consacre quelques heures à l'écriture : de courts récits, des anecdotes inspirées de scènes publiques, des notes de voyage, des réflexions.

Au début du printemps, comme s'il avait repoussé jusqu'à la limite le but réel de son voyage, il atterrit en Grèce. Il veut voir de ses yeux le lieu qui a transfiguré son père.

c'est Pâques à Athènes, Pâques aux Champs Élysées,
Pâques sur le Nil, et à Sainte-Croix, mais la
résurrection n'opère pas

Étienne quitte son hôtel, il descend dans la rue. Les maisons fraîchement traitées à la chaux blanche, éblouissantes au soleil, le blanc si blanc quand il frappe ainsi contre le bleu du ciel, plus bleu qu'ailleurs, on dirait. Étienne marche dans la rue, ça sent bon. Il aperçoit une pâtisserie en face, une jeune fille en sort avec une assiette comble. Étienne ne sait pas ce que c'est, l'assiette est recouverte d'un linge blanc. La jeune fille marche allègrement, elle est très joyeuse. Étienne observe Athènes dans ce qu'elle a de plus radieux : une adolescente qui traverse la rue avec une assiette qui sent bon. Il la regarde venir vers lui, leurs regards se croisent, elle s'approche, soulève la serviette et lui tend un baklava. D'un geste insistant, elle l'oblige à le prendre. Il l'accepte… l'adolescente lui sourit et entre dans une maison. Étienne croque dans le baklava, le miel gicle entre ses dents, il ferme ses lèvres pour ne rien perdre de la saveur de l'instant. Le velouté du miel, le bleu du ciel, la blancheur des maisons, le sourire d'une belle étrangère, c'est peut-être la somme de tout cela qui a insufflé à Georges le goût d'être autrement. Étienne prend une autre bouchée de son baklava. Il prend le temps de sentir le miel lui caresser les dents, la langue, le palais. Il déguste lentement cette douceur d'Athènes, en ce midi de Pâques. Il se lèche les doigts, un à un, la réminiscence de ses petits doigts de trois ans dans la bouche quand il mangeait la résine d'épinette, l'été, derrière la maison. Il sourit d'aise, il marche sous le soleil grec en pensant à son village d'enfance. Le soir dans sa chambre d'Athènes, il contemple la ville par la fenêtre, la même fenêtre qui un jour a offert un regard nouveau à Georges.

se créer des souvenirs purs, des souvenirs vierges,
sans souillures, parce que parfois le véritable amour,
inconditionnel, nous arrive des mains d'une étrangère

Étienne ira jusqu'au bout de son périple. L'avion atterrit au Caire. Il récupère ses bagages, prend un taxi et descend à l'hôtel où, il n'y a pas si longtemps, ses parents auraient dû loger. Il suivra tout l'itinéraire en mémoire d'Irène. Il fera son voyage final, elle le voulait ; il le fera pour elle, pour son père aussi.

réminiscence d'un été inachevé, d'un été brisé, pour tenter d'apprivoiser l'inéluctable.

Le Sphinx garde l'entrée de Khéops. Étienne suit son guide, il approche des structures pyramidales, vestiges de morts célèbres. Georges et Irène reposent dans le cimetière de Sainte-Croix.

L'humilité s'impose au cœur du profane, charnel si fragile. Je m'agenouille devant la grandeur du monde. Je touche les sables brûlants du désert, je respire les poussières ensevelies qui ressurgissent en mon âme. Humilité du profane devant la mort grandiose. Tant de petites morts pour célébrer la grandeur d'un pharaon, tant de petites morts, parfois, pour une mort plus collective.

À l'entrée de Khéops, Étienne s'arrête. Il demande à son guide de le laisser seul. Il s'agenouille sur la première rangée de pierres. Il a soif. Qu'est-ce que sa mère voulait dire à son père, à cet endroit même, encerclé sur le dépliant ? Irène Léger-Bellefleur, artiste, agonisante, venait préparer sa mort.

Offrir aux dieux son dernier souffle de vie. Offrir sa dernière création. Dire adieu à son mari, son amour, son ami.

Il longe le Nil vers la Méditerranée. Le fleuve est calme. La rivière de Sainte-Croix, elle, se déchaîne en ce moment. C'est le printemps, Étienne va peut-être rentrer. Il file sur le Nil, sa rivière l'attend.

Le fleuve Saint-Jean a repris son lit, Sébastien Caron a ouvert son érablière. Il sourit à pleines dents en versant le sirop d'érable sur le banc de neige. Le sirop sitôt étalé se fait happer par une série de palettes joyeuses ; les rires fusent sous le soleil d'avril. Étienne approche lentement derrière Sébastien et lui demande une palette. L'acériculteur se retourne et pâlit à la vue du revenant, il attendait un signe pour aller le chercher à Québec. Étienne rit de voir la surprise si grande chez son homme de confiance. Il prend une palette, goûte à la tire sur la neige. Ça lui rappelle un certain dimanche midi à Athènes. Il marche parmi les érables, respire à pleins poumons le printemps du Madawaska. Il revient à la cabane, achète du sirop d'érable, Sébastien refuse qu'il le paie. Étienne laisse une bouteille de sirop à tante Alice et rentre à son pavillon.

Étienne prend la route vers le nord, il traverse la forêt de Saint-Quentin. Non, les forêts ne se ressemblent pas toutes. Comme les ciels ne sont pas tous du même bleu, comme le blanc, plus blanc ailleurs, les forêts ne se ressemblent pas toutes. Celle-ci est différente, ce n'est pas sa forêt. Étienne descend au Centre Restigouche. Bruno est dans sa chambre, il se berce, comme s'il n'avait pas quitté sa chaise depuis un an. Étienne le regarde longuement à travers la fenêtre.

— Vous pouvez entrer.

Étienne reste dos à l'infirmière.

— Il est toujours aussi stoïque ?

— Du matin au soir.

— Il sort jamais ?

— Si on l'amène dehors, ça va pour quelques minutes. Mais au salon, avec les autres, il fait des crises. Vous voulez peut-être l'amener dehors ?

Il se tourne vers l'infirmière, la considère un moment.

— Non.

— …

— Tenez. C'est pour vous.

Il remet le sac contenant les produits d'érable, sort de l'établissement et reprend la route vers le Bois des songes. Il n'a pu supporter la vue de Bruno, il le revoyait dans le salon, l'écume à la bouche.

L'injuste retour des choses. Une épave, un noyé sur la grève, un rejet de la rivière. La vie sacrifiée.

Étienne a le goût d'aller saluer Charles Rousseau. Jacqueline lui sert un café. Il parle de la Grèce, il a trouvé l'hôtel où ses parents avaient séjourné, il a loué leur chambre, pour récupérer le point de vue, y déceler peut-être ce qui avait pu changer ainsi l'attitude de son père. Il y a trouvé un certain apaisement. Mais la vue de Bruno l'a bouleversé. Alice lui a reproché d'être allé le voir sans l'amener, ajoutant ainsi à la culpabilité qu'il éprouvait déjà de voir son frère si diminué. Et c'est lui, Étienne, qui a signé pour le faire interner.

— Et j'ai endossé. Tu y peux rien. Inutile de te torturer, mon garçon.

— Charles a raison, Étienne. Bruno a couru lui-même à sa perte.

La neige a complètement fondu. Des odeurs d'humus émanent de la terre dégelée. Étienne entre au cimetière de Sainte-Croix. Il repère la pierre tombale de ses parents, marche vers la stèle en ne la quittant pas des yeux, comme s'il s'agissait d'un phare sur la côte. Il s'agenouille sur le sol encore mouillé du printemps, il caresse la pierre.

— J'ai fait ton voyage, maman. J'ai suivi l'itinéraire au complet, dans l'ordre prévu, j'ai déposé tes prières au pied du Sphinx. Et les tiennes aussi, papa. J'ai terminé pour vous le trajet inachevé. Pour mieux me réconcilier avec le destin, sa mesquinerie... J'ai tellement besoin de vivre... Maman, Bruno est hospitalisé... Au Centre Restigouche... Pardonne-moi, maman.

Étienne taira que Bruno a trafiqué les freins de la voiture. Pour épargner la mémoire de sa mère et de son père. Il ne voit pas l'utilité de ternir le dernier repos de ses parents ; il gardera toujours cet aveu pour lui et n'en parlera jamais. Jamais, ni devant les morts ni devant les vivants. Les journaux en ont dit suffisamment ; lui, Étienne, n'en reparlera jamais. Pas plus que des révélations sur sa responsabilité dans l'incendie.

— Papa, je crois que tu aimerais mon pavillon au Bois des songes. Juste à côté du grand lit de mousse que je peux voir par la fenêtre de ma chambre.

Étienne raconte à ses parents ce qui s'est passé depuis leur décès. Il leur dévoile ce qui est advenu de la maison. Il attend un long moment, il hésite, puis avoue la vente de la scierie, recommandée par Charles et Victor. Il lui raconte surtout, en long et en large, son lien avec Rodney Jessop.

— T'aurais dû voir le sang, papa, c'était affreux. Je pouvais pas demander à cet homme-là de continuer à travailler... Je sais que t'aurais fait la même chose.

Il leur fait part de ses préoccupations, leur annonce qu'il est lui-même papa d'une belle petite fille brune, aux cheveux bouclés, comme les siens. Il faut plus d'une heure à Étienne pour repasser toute l'année qui vient de s'écouler. Il se relève, les genoux mouillés et un peu raides, caresse une dernière fois la grosse pierre.

— Au revoir. Je vous aime… Merci. Merci pour la vie que vous m'avez donnée.

Étienne téléphone à Lorraine : il veut voir Sarah.

— Elle a eu un an.

— Je sais.

— Donne-moi au moins une heure pour la préparer. Lui expliquer que son père, enfin, va venir la voir.

Le temps du trajet et Étienne sonne chez Lorraine. Il la salue, lui donne un flacon de sirop d'érable, elle remercie poliment. Sarah est debout à l'écart, Lorraine l'encourage à approcher.

— Sarah, c'est papa. Viens chère, viens voir papa.

Étienne lui tend les bras, avance dans la pièce.

— Viens-tu voir papa ? Viens, ma puce, ma Sarah.

La petite avance d'un pas encore chancelant.

— Elle marche depuis un mois.

Une grosse boule passe dans la gorge d'Étienne. Sa fille marche. La dernière fois qu'il la vue, elle tétait encore au sein. À présent, elle marche et elle a des dents plein le sourire. Étienne soulève la petite, la serre dans ses bras.

Il l'amène au parc. La petite fait quelques pas, trébuche. Il la relève, secoue la poussière sur les pantalons de l'enfant et passe une main dans ses cheveux.

— Elle vous ressemble.

Étienne sourit à la femme, sa fille lui ressemble avec ses belles boucles brunes. Il l'amène jusqu'à une balançoire, l'installe comme il faut, la fait balancer doucement. La petite rit. Étienne pousse la balançoire un peu plus fort, la petite rit aux éclats. Il lui parle, « la Sarah à papa ». Chaque fois que la balançoire revient vers lui, il lui répète « la Sarah à papa ». Et elle se balance, et elle rit. Finalement, elle veut descendre, Étienne la prend dans ses bras et lui murmure à l'oreille.

— Papa t'aime.

— Papa.

Étienne la regarde, les yeux tout écarquillés : elle a dit « papa », sa fille l'a appelé « papa », il est papa, Sarah l'a dit. Elle le répète : « Papa ». Étienne rit comme il n'a pas ri depuis des mois, des années peut-être. Comme s'il n'y avait plus rien qui comptait sur la terre, il est subjugué, il court chez Lorraine, monte les escaliers deux marches à la fois, il ne frappe même pas, il entre en coup de vent.

— Elle a dit « papa ». Lorraine, Sarah a dit : « Papa ».

— Où est la poussette ?

Il se rend compte que, dans son euphorie, il a laissé la poussette au parc. Il dépose la petite par terre.

— Papa revient tout de suite.

Il sort en courant, mais Sarah veut le suivre. Elle se met à pleurer, sa mère essaie de la consoler. Étienne court au parc, récupère la poussette et revient chez Lorraine. Le salon est vide, il appelle d'une voix enjouée.

— Sarah ! Où est la Sarah à papa ?

Il entend la petite voix de la cuisine, s'y précipite. Sarah est en train de boire du lait, elle va aller faire sa sieste.

— Sarah va faire dodo. Dis « au revoir » à papa.

— 'voua, papa.

Étienne quitte l'appartement. Lorraine ne pourra jamais lui pardonner, mais sa fille l'a reconnu, elle l'a appelé « papa ». Il se raccroche à cet instant de bonheur. En route vers le Bois des songes, il arrête à la serre du village. Les fleurs lui donnent comme un élan de légèreté, il se promène entre les étalages, hume les différents parfums. Il sort dans la cour intérieure parmi les buissons, examine les rosiers, puis il arrête son choix sur un miniature pêche. Il file au Bois des songes, débarque son rosier, la pelle qu'il vient d'acheter, l'engrais à rosiers, les petites roches pour aérer le sol. Il amène tout son attirail près du pavillon, du côté sud-est. Le rosier aura le soleil du matin jusqu'à trois heures de l'après-midi. Étienne creuse un grand trou, jette les petites roches au fond, un peu de terre à rosier, il ouvre le robinet extérieur — finalement, le constructeur avait eu raison d'insister pour ce robinet extérieur : « on ne sait jamais, avait-il dit, toute maison devrait avoir son robinet extérieur ». Étienne inonde le trou, le drainage est bon, il retire l'arbuste de son contenant — l'horticulteur lui a expliqué comment faire — et dépose l'arbuste dans le trou, foule la terre autour. C'est le rosier de Sarah, un miniature pêche, pour sa première année de vie. Il admire son œuvre, satisfait. Heureux.

Étienne roule vers le nord. Tante Alice a tellement insisté, il l'amène voir Bruno.

— J'aurais ben dû apprendre à conduire quand c'était le temps, je dépendrais pas de tout un chacun.

— Ça me fait plaisir, ma tante, de vous y amener.

— Tu dis ça pour être fin.

— Pas du tout. Vous avez été tellement bonne. Et vous l'êtes encore. C'est la moindre des choses que je puisse faire. En avril dernier...

— Parle pas de ça, j'ai compris que t'avais besoin d'y aller tout seul.

— Faut pas vous créer de faux espoirs, ma tante, c'est pas certain que Bruno va vous reconnaître.

— Je le sais, tu me l'as assez dit. Mais on sait jamais.

Alice reprend son chapelet qu'elle égrène en silence jusqu'à Campbellton. Étienne ne dit plus rien, il appréhende la rencontre. Il présente Alice à l'infirmière, lui dit que sa tante est la marraine de Bruno. Alice en éprouve une certaine fierté, comme si être la marraine du malade lui procurait un statut privilégié. Elle entre dans la chambre. Étienne observe, à partir du corridor, Alice s'approcher de la berceuse.

— Bruno ? Allô, chaton.

Elle se penche un peu vers lui.

— C'est tante Alice, comment ça va, mon chaton ?

Bruno ne bronche pas, il se berce, un son râpeux sort de sa gorge.

— Tan... lice.

— Oui, mon Bruno, c'est tante Alice.

Alice s'énerve, elle se tourne vers Étienne et l'infirmière, tout exubérante.

— Il m'a reconnue. Oui, cher, c'est moi, ta marraine. Comment ça va ?

— Tan-ante- Al...

C'est tout ce qu'il dira. Alice lui pose mille et une questions. Elle verse quelques larmes tant l'émotion est forte, mais Bruno ne dira plus rien. Étienne entre dans la chambre — l'infirmière observe la scène —, il avance lentement vers Bruno et tante Alice. Bruno commence à s'agiter, une série de râlements sortent de sa gorge. L'infirmière demande à Étienne de sortir. Alice, apeurée, le suit hors de la chambre. L'infirmière tente de calmer Bruno, il s'agite de plus en plus. Une autre infirmière arrive et lui administre une injection. La crise n'ira pas plus loin. Les deux infirmières le couchent dans son lit. Elles sortent et l'une d'elles explique à Étienne et à Alice que ce sera tout pour aujourd'hui, qu'ils doivent partir.

Étienne amène Alice au restaurant, puis ils reprennent la route vers le Madawaska. Elle est épuisée. Son Bruno rendu fou, elle reconnaît que tout espoir est désormais inutile.

La nuit d'Étienne est peuplée de cauchemars. Il voit la tête de Bruno partout. Sur le corps de Lorraine, le corps d'Irène, de Georges, de Judith. Ils ont tous la tête de Bruno. Il étouffe. Il se réveille en sueur. C'est la dernière fois qu'il ira voir Bruno. Il rompra aussi avec cette page de son passé. Il sort, contourne le pavillon. Les premiers rayons du soleil paraissent, le petit rosier a repris, il a fait de nouvelles feuilles. Étienne aperçoit le premier bourgeon.

ce matin
le soleil s'est levé
sur un bourgeon de vie
il s'épanouit désormais pour toi
mon enfant

Le bouton de rose a mis quelques jours à éclore. Aujourd'hui, il est devenu fleur. Étienne va chercher le sécateur dans la remise derrière le pavillon. Il cueille la rosette avec précaution pour ne pas l'abîmer. Il enroule la tige dans un papier serviette mouillé, ajoute une pellicule de plastique autour, et prend la route vers Sarah. À son arrivée, la petite est déjà en pyjama, elle le reconnaît et court à sa rencontre.

— Papa!

Le rosier de Sarah a produit plusieurs fleurs durant l'été. Étienne les a toutes coupées, chaque fois, et les lui a apportées. Sauf la dernière qu'il a gardée pour lui. Elle est en train de flétrir sous les premières gelées. Et ça lui rappelle ce matin d'automne où il s'est éveillé pour la dernière fois avec Lorraine, le léger mouvement de vie dans sa main. La veille, il avait voulu mourir, et ce matin-là, il se réveillait dans son lit, une petite vie blottie au creux de sa main.

Étienne abrite l'arbuste pour empêcher la neige de casser les branches. Il protège aussi les deux lilas qu'il a plantés de chaque côté du perron, face à la rivière. Il ne fera pas une obi autour de son pavillon, juste deux lilas pour se souvenir de sa mère, de son père. Il regarde ses trois arbustes, transplantés au cœur de la forêt.

parce qu'au Bois des songes, un jour, un homme s'est échoué sur le rivage.

Étienne consacre son hiver à la lecture et à l'écriture. Cette fois, il a un véritable projet : le récit d'un voyage initiatique. Il sait qu'il doit le faire s'il veut passer à autre chose. Il s'impose de prendre un recul par rapport à son expérience et tente de transposer sa quête dans la vie d'un personnage créé de toutes pièces. Mais il lui arrive souvent de douter. Il récrit, supprime, recommence. Il retire parfois des pages entières, insatisfait soit du récit qui déroge, soit de son style qu'il n'arrive pas toujours à soutenir. Quand il se retrouve dans une impasse, il va prendre l'air. Marcher dans la forêt l'aide à réfléchir. Ou à tout oublier. Pour quelques heures.

Il s'est acheté une paire de skis de randonnée et a dégagé une piste à travers les arbres. Il allonge son sentier un peu plus chaque jour. À certains endroits, il doit élaguer quelques branches qui lui bloquent le passage. Rodney Jessop lui a donné un ou deux conseils. Durant tout l'hiver, Étienne découvre sa forêt, un pas à la fois.

Vivre de son essence fondamentale. Ne demander à la vie que ce qu'elle peut nous offrir. Le reste, se l'inventer soi-même.

La soirée est neigeuse. Étienne lit à la lueur du foyer. Le crépitement dans l'âtre lui procure une paix qu'il ne ressentait pas de la même façon quand il vivait dans la maison de ses parents.

Au Centre Restigouche, les patients sont installés pour la nuit. On a tamisé la lumière des corridors. De temps à autre, une voix plaintive s'ajoute aux ronflements. Bruno apparaît dans l'embrasure de sa porte. Une infirmière l'aperçoit, lui demande ce qu'il cherche, il ne répond pas. Elle le ramène à son lit et l'aide à se coucher. Puis, geste routinier, elle promène sa lampe de poche autour de la chambre. Elle remarque sur le siège de la chaise berçante une inscription tracée avec un instrument de fortune : des lignes hachurées, gravées profondément dans le bois. Des lettres déformées, mais parfaitement lisibles. Elle réussit à déchiffrer le nom BRUNO, puis, au-dessous, ÉTIENNE, souligné d'un trait rapide, mais continu, encore plus prononcé que les lettres. L'inscription semble récente, le patient a eu accès à un objet pointu. Il faudra redoubler de vigilance. Elle inspecte les environs : le plancher, le bureau, le dessous du lit, mais elle ne trouve rien. Elle consigne ses observations au dossier. Demain, elle informera le médecin-chef.

Il approche minuit. Étienne sort sur le patio. De gros flocons virevoltent dans tous les sens ; on dirait des lucioles géantes. La rivière est là, tout en bas de la falaise. Étienne la devine, sous sa couche de glace, qui file inlassablement vers la mer…

TABLE DES MATIÈRES

VOIX NARRATIVES

Collection dirigée par Marie-Anne Blaquière

BÉLANGER, Gaétan. *Le jeu ultime*, 2001.

BRUNET, Jacques. *Ah...sh***t! Agaceries*, 1996. Épuisé.

BRUNET, Jacques. *Messe grise* ou *La fesse cachée du Bon Dieu*, 2000.

CANCIANI, Katia. *Un jardin en Espagne. Retour au Généralife*, 2006.

CANCIANI, Katia. *178 secondes*, 2009.

CHICOINE, Francine. *Carnets du minuscule*, 2005.

CHRISTENSEN, Andrée. *Depuis toujours, j'entendais la mer*, 2007.

COUTURIER, Anne-Marie. *L'étonnant destin de René Plourde. Pionnier de la Nouvelle-France*, 2008.

COUTURIER, Gracia. *Chacal, mon frère*, 2010.

CRÉPEAU, Pierre. *Kami. Mémoires d'une bergère teutonne*, 1999.

CRÉPEAU, Pierre et Mgr Aloys BIGIRUMWAMI, *Paroles du soir. Contes du Rwanda*, 2000.

CRÉPEAU, Pierre. *Madame Iris et autres dérives de la raison*, 2007.

DONOVAN, Marie-Andrée. *Nouvelles volantes*, 1994. Épuisé.

DONOVAN, Marie-Andrée. *L'envers de toi*, 1997.

DONOVAN, Marie-Andrée. *Mademoiselle Cassie*, 1999. Épuisé.

DONOVAN, Marie-Andrée. *L'harmonica*, 2000.

DONOVAN, Marie-Andrée. *Les bernaches en voyage*, 2001.

DONOVAN, Marie-Andrée. *Mademoiselle Cassie*, 2e éd., 2003.

DONOVAN, Marie-Andrée. *Les soleils incendiés*, 2004.

DONOVAN, Marie-Andrée. *Fantômier*, 2005.

DUBOIS, Gilles. *L'homme aux yeux de loup*, 2005.

DUCASSE, Claudine. *Cloître d'octobre*, 2005.

DUHAIME, André. *Pour quelques rêves*, 1995. Épuisé.

FAUQUET, Ginette. *La chaîne d'alliance*, en coédition avec les Éditions La Vouivre (France), 2004.

Flamand, Jacques. *Mezzo tinto*, 2001.
Flutsztejn-Gruda, Ilona. *L'aïeule*, 2004.
Forand, Claude. *Ainsi parle le Saigneur*, 2006.
Forand, Claude. *R.I.P. Histoires mourantes*, 2009.
Gagnon, Suzanne. *Passeport rouge*, 2009.
Gravel, Claudette. *Fruits de la passion*, 2002.
Harbec, Hélène. *Chambre 503*, 2009.
Hauy, Monique. *C'est fou ce que les gens peuvent perdre*, 2007.
Jeansonne, Lorraine M. M. *L'occasion rêvée… Cette course de chevaux sur le lac Témiscamingue*, 2001. Épuisé.
Lamontagne, André. *Le tribunal parallèle*, 2006.
Lepage, Françoise. *Soudain l'étrangeté*, 2010.
Mallet-Parent, Jocelyne. *Dans la tourmente afghane*, 2009.
Marchildon, Daniel. *L'eau de vie (Uisge beatha)*, 2008.
Muir, Michel. *Carnets intimes. 1993-1994*, 1995. Épuisé.
Piuze, Simone. *La femme-homme*, 2006.
Richard, Martine. *Les sept vies de François Olivier*, 2006.
Rossignol, Dany. *L'angélus*, 2004.
Rossignol, Dany. *Impostures. Le journal de Boris*, 2007.
Tremblay, Micheline. *La fille du concierge*, 2008.
Vickers, Nancy. *La petite vieille aux poupées*, 2002.
Younes, Mila. *Ma mère, ma fille, ma sœur*, 2003.
Younes, Mila. *Nomade*, 2008.

Imprimé sur papier Silva Enviro
100 % postconsommation
traité sans chlore, accrédité Éco-Logo
et fait à partir de biogaz.

Photographie de la couverture :
Sébastien Chaventon <www.exworld.fr>
Photographie de l'auteure : Dolores Breau
Maquette et mise en pages : Anne-Marie Berthiaume
Révision : Frèdelin Leroux

Dépôt légal, 1er trimestre 2010
ISBN 978-2-89597-126-9

Achevé d'imprimer en mars 2010
sur les presses de Marquis Imprimeur
Cap-Saint-Ignace (Québec) Canada